RETRATO DE LA PICARA:

La protagonista de la picaresca española del XVII

Pablo Javier Ronquillo
Universidad Estatal de Sonoma, California

RETRATO DE LA PICARA:

La protagonista de la picaresca española del XVII

Colección Nova Scholar

Depósito legal: M.-26.680-1980
I. S. B. N.: 84-359-0227-7

Diseño de la cubierta: Tony EVORA
COLECCION NOVA SCHOLAR

EDITORIAL PLAYOR
Apartado 50.869. Madrid

Printed in Spain
Impreso en España

A Aldonza

INDICE

PREFACIO

El género literario conocido universalmente como «la novela picaresca», es una de la contribuciones más valiosas de la cultura española al mundo de las letras. Desde aquel día —ya hace casi cinco siglos— en que un autor anónimo inició el género con La vida de Lazarillo de Tormes y de sus fortunas y adversidades, *las raíces culturales que se escondían en las páginas de aquella vida se han perpetuado internacionalmente por medio de una atracción irresistible. Era ésta una atracción que captó la atención de otros discípulos creadores y que, durante los años, ha atraído un sin fin de lectores, además de un mundo entero de pensadores, filósofos, académicos, críticos, sociólogos, historiadores y aun psicólogos, de toda clase y de toda época. Esta atracción nunca se ha disminuido. Aún en los últimos años del siglo veinte sigue fuerte, firme, indestructible por la mera razón de que lleva en sí, además de un cierto encanto literario, un germen de vida que es parte de la naturaleza de todo ser viviente.*

Desafortunadamente todavía, al dirigir la mirada hoy, desde un punto de vista popular o intelectual, a «la novela picaresca», predomina en este género literario, como ha predominado durante los siglos, el personaje del pícaro: protagonista masculino de mal vivir que vaga por el mundo sufriendo y gozando una serie de aventuras que en su totalidad, constituye un fresco de la sociedad española de otra época. Digo «desafortunadamente», no para menospreciar al pícaro per se, *o el papel que ha sido suyo en el mundo literario; lo digo solamente para que nos demos cuenta de la posibilidad de que haya otra persona de este género literario que también haya hecho un buen papel y que a la vez merezca atención. Creo que existe tal personaje y que anda por el mundo picaresco; es una persona apicarada de sexo femenino: la* pícara. *Admito que esta picaresca femenina no puede ser como la de su congénere, pues la pícara está vestida de mujer y pasa por dama. Tampoco es posible que esta picaresca sea simplemente una continuación conforme al modo de ser de la de su congénere. ¡Imposible! Pero esto es cierto: hay en esa literatura de España del siglo* XVII *un largo desfile de personajes femeninos apicarados que definitivamente han dejado unas huellas literarias singulares e impresionantes.*

¿Quiénes son las pícaras literarias españolas? ¿Cómo son? ¿Cuál es su herencia genealógica? ¿Cómo se comportan? y ¿por qué? ¿Cuáles son los empleos u oficios que han tenido? ¿Muestran sentimientos amorosos? y si es así, ¿los sienten ellas mismas o los incitan en otros? O, ¿son seres desprovistos de cariño? ¿Realizan sus fines ideales? o, ¿no los tienen? Estas preguntas, y sin duda otras muchas, quedan por contestarse y para contestarlas, además de estudiar minuciosamente las historias autobiográficas de cada una, ¿a dónde nos dirigimos? En toda la crítica, tanto española como internacional, ha reinado un silencio puro; nos ha inundado un mar de nadas. Pues bien, nos hemos contentado con uno o dos breves comentarios que, aunque de gran solidez y consistencia, por alguna razón u otra, no nos han inspirado a estudiar y a analizar adecuadamente la picaresca española femenina. Tales estudios, una vez realizados, indudablemente facilitarán una comprensión más amplia y profunda del mundo picaresco, y asimismo, aumentarán los conocimientos de la cultura que dio luz a este personaje fascinante.

Todo esto dicho y hecho, por fin podemos empezar a contestar las muchas preguntas que hemos hecho y a resolver los muchos enigmas que por tanto tiempo nos han preocupado. Gracias a los estudios del Profesor Ronquillo, en este libro suyo vemos el retrato del personaje apicarado, no simplemente el de una o dos, sino el de todas las protagonistas apicaradas españolas del siglo XVII. Es un estudio comprensivo que analiza primero lo exterior, subrayando lo personal de la vida de cada personaje. Después el estudio penetra el ser, es decir, la esencia de estas pícaras para que las conozcamos, para que percibamos el modo de pensar, lo que efectúan en la vida al vivirla, y lo que reflejan de la vida que las envuelve.

Es éste el primer libro sobre la pícara del siglo XVII *y, dicho esto, es en efecto también el primer estudio profundo y general sobre la pícara española. Es un libro fundamental entre los muchos que tratan de «la novela picaresca», porque si hasta ahora nos hemos dedicado exclusivamente al estudio del pícaro y su mundo, este libro desenvuelve otro panorama picaresco que existía mientras que Lazarillo y sus colegas andaban acá y allá, buscando de comer en las calles culturales de España. Es una vista que hasta ahora no hemos observado, y otro ladrillo que nos ha hecho falta en la construcción del templo picaresco que hace mucho tiempo empezó a elevarse.*

Yo no quiero decir que este libro del Profesor Ronquillo ofrece todo lo que se nos ha escapado. Tampoco digo que los muchos puntos de vista, ideas, y aun las conclusiones del autor, representan la última palabra. ¡No! Pero, por lo menos este estudio asegura que hay en la pícara y en su mundo un algo *al que debemos hacer caso, un* algo *substantivo que debemos absorber antes de llegar a conclusiones fijas sobre lo picaresco español. Y, a mi parecer, en este estudio lo que me sorprendió tanto fue el sentimiento amoroso tan complejo de la pícara, y tan diferente al de su congénere. Y este* algo *que he visto, lejos de agotar el tema, como admite el autor, puede ser el que suscitará un nuevo interés, y a la vez, el que puede «abrir el camino a nuevas reflexiones».*

William O. Cord

INTRODUCCION

Al hablar del género picaresco, se piensa automáticamente en su protagonista masculino: el pícaro. Sin embargo, es un hecho literario que a partir de 1605, fecha de la aparición de *La pícara Justina,* la mujer entra en calidad de protagonista en la novela picaresca [1]. Desde este momento, las novelas picarescas de protagonista femenino comienzan a aparecer y, juzgando por el número de novelas escritas, es evidente que este nuevo tipo de picaresca femenina alcanza un éxito importante, sobre todo, en la primera parte del siglo XVII.

No obstante el silencio que existe de parte de los críticos de esta picaresca femenina, se pueden notar algunas observaciones pertinentes. Una de las descripciones más antiguas es la del erudito Fonger de Haan que define al protagonista picaresco llamándolo persona, evitando de esta manera darle un género definido. Subraya al respecto:

> It is the prose autobiography of a person, real or imaginary, who strives by fair means and by foul to make a living, and in relating *his* experience in various classes of society, points out the evils which came under *his* observation [2].

Sin embargo, el uso del adjetivo posesivo masculino y la falta de alusiones inmediatas a obras picarescas de protagonista femenino, confirma que el crítico tenía más en mente un protagonista masculino. Y si se refiere a ambos, simplemente los mezcla sin distinguirlos [3].

Hay que esperar más de treinta años para que aparezca otro investi-

---

[1] J. A. van Praag: «La pícara en la literatura española», *Spanish Review,* volumen III, 1936, p. 63.

[2] Fonger de Haan: *An Outline of the History of the Novela Picaresca in Spain,* La Haya, 1903, p. 8 (El subrayado, de los adjetivos posesivos de la cita, es mío.)

[3] J. A. van Praag: *ob. cit.,* p. 63.

gador de la picaresca española que haga caso a la protagonista femenina: a la pícara. Se trata de un breve estudio del profesor J. A. van Praag que en 1936 publica un artículo en la revista estadounidense *Spanish Review* bajo el título de «La pícara en la literatura española». En realidad, es un caso aislado pero de sumo valor para la comprensión de la picaresca femenina y de su protagonista en particular [4]. No solamente este investigador logra separar las dos picarescas, la de protagonista masculino y la otra de protagonista femenino, sino que además define a la pícara literaria con muchísimo acierto. Citemos, por ejemplo, algunas características esenciales que diferencian a la pícara de su congénere, según el juicio de J. A. van Praag:

> Conoce la pícara, en mayor grado aún que su colega masculino, la imperiosa necesidad de tener buena fama. En apariencia vive recatada; quiere pasar por dama de alta alcurnia... se rodea de escuderos y dueñas de aspecto venerable... El lenguaje en que se expresan las pícaras y el tono de su conversación son los de las damas de buen linaje... Dispone la pícara, a más de su innata astucia, de belleza corporal que sabe poner a precio... Mientras el pícaro, al compararle con las figuras de la comedia, corresponde mucho más al criado (gracioso) que no al galán, la pícara se diría que se aproxima más a la dama que a la criada. Es que el pícaro carece de refinamiento: no logra salir de un modo permanente de su categoría social, y cuando sale siempre se traiciona. La pícara, al contrario, se mueve casi siempre en un ambiente social muy superior al suyo y se mueve con facilidad [5].

Por lo visto, la picaresca femenina no es simplemente una variación o la continuación de un género ya conocido, sino más bien, una nueva intención y un nuevo valor literario como afirma Peter Dunn en su obra, *Castillo Solórzano and the Decline of the Spanish Novel:*

> When the protagonist is a woman, the sense of conflict is no longer evident in the picaresque. The pursuit of a life of roguery is not an alternative to starvation, but is an existence possessing its own attractions, and the pícara is made attractive by her beauty, her wit and her ingenuity [6].

A pesar de estos dos únicos casos aislados de la crítica literaria en los primeros setenta y cinco años del siglo XX, se puede asegurar que la

[4] *Ibíd.*, pp. 63-74.
[5] *Idem.*
[6] Peter N. Dunn: *Castillo Solórzano and the Decline of the Spanish Novel*, Oxford: Basil and Blackwell, 1952, p. 115.

pícara literaria existe en España en el siglo XVII y que tiene sus precursoras literarias en el prototipo de la alcahueta medieval, Trotaconventos y Celestina [7], y en su imitación renacentista, Lozana [8]. Ahora bien, la influencia del prototipo de alcahueta medieval y renacentista se manifiesta consistentemente en ciertas características comunes entre la pícara seiscentista y sus precursoras literarias. Estas características son: 1) la astucia, 2) la mundología, 3) la herencia genealógicoambiental, 4) los oficios y empleos, 5) el engaño, 6) la codicia, 7) el deseo de libertad y 8) la dualidad amorosa de erotismo y castidad.

Pero hay precisamente tres elementos esenciales en la formación y definición del personaje seiscentista que permite establecer una clara diferencia entre alcahueta y pícara. El primero es la edad. Trotaconventos y Celestina son viejas; en cambio, la pícara seiscentista aparece en la obra durante su primera infancia, o por lo menos, durante su adolescencia, sin haber excepción a esta norma. El segundo es la brujería, tan importante en Celestina que la alcahueta invoca al diablo y aún lo conmina con un castigo para asegurar su éxito [9]. Por el contrario, la pícara seiscentista no exhibe nada de brujería. Y el tercero es la posición social. Ni Trotaconventos ni Celestina, en sus relaciones con la clase alta, logran mejorar de posición social a medida que se avanza en la obra, como sucede con la pícara seiscentista que consigue pasar fácil y frecuentemente por dama principal.

El hecho de separar a la pícara de la alcahueta y de definir como pícara, solamente el personaje femenino del siglo XVII, provoca lógicamente una pregunta, ¿por qué no incluir las obras de protagonista femenino y de carácter celestinopicaresco del siglo XVI, como por ejemplo el *Retrato de la lozana andaluza*? Unos estudiosos, recientemente, la

---

[7] Juan Ruiz (Arcipreste de Hita): *Libro de buen amor,* edición de Julio Cejador y Frauca, Madrid: España-Calpe, 1967, y Fernando de Rojas: *La Celestina,* edición de Julio Cejador y Frauca, Madrid: Espasa-Calpe, 1966.

[8] Francisco Delicado: *Retrato de la loçana andaluza,* edición de Bruno M. Damiani y Giovanni Allegra, Madrid: José Porrúa Turanzas, 1975.

[9] Fernando de Rojas: *La Celestina,* Espasa-Calpe, Madrid, 1966, vol. I, pp. 151-152. Michael J. Ruggerio: «The Evolution of the Go-Between in Spanish Literature through the Sixteenth Century», *University of California Publications in Modern Philology,* Berkeley and Los Angeles, 1966, vol. 78, p. 75. Véase la cita 14 del capítulo II.

incluyen en su obra sobre la picaresca [10]. Y otro crítico declara que: «Its lack of central connected story, and the fact that the only unity is that provided by the episodic adventures of the central character make the Lozana a picaresque novel» [11].

No obstante estas afirmaciones de que la obra de Francisco Delicado es picaresca, el autor de este estudio no cree que la protagonista sea realmente una pícara literaria del prototipo seiscentista. Lozana es, pues, una fase en la evolución celestinopicaresca porque, a pesar de su juventud, este personaje no exhibe el rasgo que nos parece esencial en la pícara: el refinamiento personal. Por consiguiente, Lozana no se refina ni nunca puede llegar a pasar por dama de sociedad. Se pudiera asegurar que Lozana es un eslabón entre la alcahueta medieval y la pícara seiscentista y que quizás se aproxime más a la pícara por la edad y por la falta de brujería diabólica.

Otra pregunta lógica es el por qué no incluir las obras de protagonista femenino del siglo XVII, como por ejemplo, *La ilustre fregona* y *La gitanilla* que aparecen en *Las novelas ejemplares* de Miguel de Cervantes, o, aun la obrita apicarada *El castigo de la miseria* que aparece en *Las novelas amorosas y ejemplares* de María de Zayas y Sotomayor. Pues bien, tanto las protagonistas de Cervantes como las de Zayas y Sotomayor no encuadran dentro de las características literarias de la pícara seiscentista que vamos a analizar.

Las protagonistas cervantinas carecen de mundología apropiada, de herencia genealógica —son nobles de ascendencia— de engaño, de codicia, y, sobre todo, no exhiben ningún deseo de libertad. Las protagonistas de la «décima musa» carecen de juventud y de belleza —doña Isadora tiene cincuenta años y es fea— y las otras heroínas apicaradas de esta autora carecen de mundología, y en vez de existir una protagonista apicarada central para dar unidad temática, ocurre todo lo contrario, pues

---

[10] Albert Ian Bagby, Jr.: «La primera novela picaresca española», *La Torre*, número 68, 1970, pp. 83-100; en cambio, el erudito José A. Hernández Ortiz, considera el *Retrato de la lozana andaluza* como eslabón literario entre *La Celestina* y la picaresca española en general. Véase la obra de José A. Hernández Ortiz: *La génesis artística de la Lozana andaluza*, Madrid: Ricardo Aguilera, 1974, páginas 128-138 y ss.

[11] Ernest H. Kilgore Hillard: *Spanish Imitations of the Celestina*, University Microfilms, Ann Arbor, 1957, p. 343.

aparece un personaje masculino central, don Marcos —el burlado— y es este antipícaro el que ofrece cierta unidad temática a la obra. Por lo tanto, la novelística apicarada de Cervantes como la de Zayas y Sotomayor, es cuestión aparte y asunto ajeno a lo que tratamos en este estudio.

Estas consideraciones nos han impulsado a emprender este análisis y, al mismo tiempo, nos han causado el embarazo de tener que limitar la extensión y finalidades de nuestro trabajo. Frente a tantos problemas que surgen de la lectura de esta novelística, una pregunta nos ha parecido tanto más esencial en cuanto que hasta ahora no le ha hecho mucho caso la crítica: ¿quién es la pícara literaria seiscentista?

Pues bien, para contestar esta pregunta, adecuadamente, es que se emprende este estudio que tiene por único objeto el retratar las protagonistas apicaradas seiscentistas por medio de un análisis sistemático, procurando formar una síntesis de un tipo literario que aparece en un mundo vasto y lleno de diversos aspectos como lo es el de la pícara española del siglo XVII.

Uno de los problemas básicos ha sido el de elegir las obras picarescas de protagonista femenino, y otro, el de seleccionar un número adecuado de protagonistas apicaradas, a sabiendas del riesgo que se corre siempre y cuando se formula una selección que pudiera resultar arbitraria. Es por eso que la lista de obras y de protagonistas es mucho más extensa de lo que se pudiera considerar estrictamente picaresca femenina [12].

Así que, para los fines de este estudio se han seleccionado doce heroínas apicaradas que aparecen en el siglo XVII: Justina en *La Pícara Justina* (1605) de Francisco López de Ubeda, Elena en *La hija de Celestina* (1612), Teresica en *El escarmiento del viejo verde* (1615) y en *La niña de los embustes* (1615), Teodora en *La dama del perro muerto* (1615), Cristina en *El coche mendigón* (1620), Flora en *La sabia Flora Malsabidilla* (1621), de Alonso J. de Salas Barbadillo; Luisa, Feliciana, Constanza y Dorotea en *Las harpías en Madrid* (1621), Teresa en *La niña de*

---

[12] Un caso particular es la obra de Alonso J. de Salas Barbadillo: *La dama del perro muerto,* cuya protagonista es Teodora. Además, véase la nota 13 del capítulo II de este estudio.

los embustes (1632) y Rufina en *La garduña de Sevilla* (1642), de Alonso de Castillo Solórzano [13].

Los dos primeros capítulos tienen por objeto el estudiar las características intrínsecas y extrínsecas comunes en las doce protagonistas. El tercero se dedica al análisis de la moral. Agreguemos, por último, que todavía queda mucho por investigar sobre la novelística picaresca femenina y, en particular, sobre la pícara. Nuestro estudio, lejos de agotar el tema, quizás tenga como única ambición la de suscitar el interés y la de abrir el camino a nuevas reflexiones.

[13] *La pícara Justina,* de Francisco López de Ubeda; *La hija de Celestina,* de Alonso J. de Salas Barbadillo; *La niña de los embustes* y *La garduña de Sevilla,* de Alonso Castillo Solórzano, aparecen en la antología de Angel Valbuena y Prat: *La novela picaresca española,* Madrid: Aguilar, 1966. *El escarmiento del viejo verde, La niña de los embustes, La dama del perro muerto* y *La sabia Flora Malsabidilla,* de Alonso J. de Salas Barbadillo, aparecen en la obra de este mismo autor bajo el título de: *Corrección de vicios,* edición de Emilio Cotarelo y Mori, Madrid: Colección de Escritores Castellanos, 1907. *El coche mendigón,* de Alonso J. de Salas Barbadillo, aparece en la edición anotada de Edwin B. Place en *La casa del placer honesto,* obra del autor español que aparece en la revista: *The University of Colorado Studies,* vol. XV, 4, 1927. Para *Las harpías en Madrid,* de Alonso Castillo Solórzano, nos documentamos en la edición de Emilio Cotarelo y Mori, Madrid: Colección Selecta de Antiguas Novelas Españolas, 1907.

Conviene aclarar que tenemos dos obras del mismo título pero de diferentes autores: *La niña de los embustes,* de Alonso J. de Salas Barbadillo, cuya protagonista se llama Teresica, y la otra obra: *La niña de los embustes,* de Alonso de Castillo Solórzano, cuya protagonista se llama Teresa de Manzanares. También precisa añadir que Teresica aparece en dos obras del mismo autor, *La niña de los embustes* y *El escarmiento del viejo verde,* de Alonso J. de Salas Barbadillo.

I. LAS CUALIDADES INTRINSECAS: EL RETRATO FISICO Y MENTAL DE LA PICARA

A primera vista, el aspecto de la pícara es siempre extremadamente favorable, pues por medio de ciertas cualidades intrínsecas —la belleza, la inteligencia y la mundología— la pícara seduce a su víctima. Estas cualidades son indispensables para el oficio que ejerce le heroína apicarada, y es precisamente por eso que este retrato físicomental de la pícara se compone de estas tres cualidades principales que dividen este primer capítulo correspondientemente.

Descripción física de la pícara

No hay pícaras viejas ni feas [1]. Sin embargo, existen tres grados de belleza física en las doce heroínas apicaradas de este análisis. Las bellas son aquellas que reflejan una gran belleza física natural. Las bonitas son aquellas que casi poseen una gran belleza física. Y las hermosas son aquellas que carecen de una gran belleza física, pero que no dejan de tener cierto atractivo, sobre todo en la cara, lo cual las aleja muchísimo de ser feas.

---

[1] J. A. van Praag: *op. cit.,* p. 67. Opina el crítico sobre la belleza de estas heroínas apicaradas: «Justina, la que abre la serie, es la menos atrayente de todas, harto basta, grosera, pero todas las demás son hermosas, elegantes y encantadoras de conversación amena y de mucho talento para toda clase de trabajo mental y manual».

Al parecer, el investigador olvida la descripción inicial ofrecida en la novela de López de Ubeda. Dice el narrador: «Justina fue mujer de raro ingenio, feliz memoria, pelinegra, nariz aguileña y color moreno» (*La pícara Justina*, p. 709).

A. *Las pícaras bellas*

En esta primera categoría tenemos la mitad de las heroínas apicaradas que aparecen en este estudio. La primera es Flora, mujer de tal belleza exótica, que ya desde su adolescencia le proporciona una gran fama en su aldea natal. Apunta el propio personaje de *La sabia Flora Malsabidilla*:

Llamábanme en Cantillana, lugar del Andalucía y que está en las vecindades de Sevilla, el *Sol de Egipto,* título que se dio a los méritos de mi belleza, más illustrada con los donaires de mis labios imitadores del pimiento en estar colorados, y en pecar más vivos (p. 299).

En este pasaje observamos que la belleza de esta joven protagonista carece de todo cosmético. Se puede asegurar que es una belleza física totalmente natural.

Asimismo, las cuatro heroínas apicaradas, que aparecen juntas en la primera parte de *Las harpías en Madrid,* son todas jóvenes y muy bellas. La mayor, que se llama Feliciana, tiene dieciocho años y es un buen ejemplo de esta gran belleza: «... rostro blanco, bien proporcionado, negro el cabello, hermosos ojos, perfecta nariz, breve boca, frescos labios, iguales, menudos y blancos dientes, sus mejillas (sin el artificio del resplandor) vertían rosa y púrpura, entre blanca nieve; su mirar agradable, su habla sonora y la más dulce voz que había en España...» (p. 11).

Luisa, la hermana de Feliciana, es tan bella también que parece ser la hermana gemela. Veamos la descripción ofrecida por el narrador:

Su hermana Luisa, que éste era su nombre y de un año menos que Feliciana, era morena de color, de ojos rasgados muy vivos y alegres, nariz, boca, dientes y barba, en más breve proporción que las facciones de su hermana, aunque no menos perfectas; algo menos de cuerpo, pero de airosa disposición y de más bullicio imitábala en la buena voz y destreza... (p. 11).

Esta semejanza, en el aspecto físico de las dos hermanas, no se debe solamente a la cercanía del parentesco sino, en gran parte, a la intención idealizadora del autor. Parecen cuerpos pintados por Pedro Vannucci, en los cuales los rasgos de belleza fisonómica, en particular, son casi idénticos en todos.

Las otras dos «harpías», Constanza y Dorotea, no dejan también de sufrir la misma semejanza en el aspecto físico, ya que, después de la descripción ofrecida, es casi imposible distinguirlas. Lo único que se sabe con seguridad es que son menos bellas que las otras dos anteriores y que exhiben una belleza fresca y natural. Dice el narrador en esta oportunidad: «Al acabar el concierto... salieron medio vestidas con sólo enaguas y pretinillas de lana verde... Como eran muchachas de gentil pareceer *[sic]*, hacíales el traje sobremanera hermosas...» (p. 6).

Y, finalmente, Rufina, la figura central de *La garduña en Sevilla,* es la personificación misma de la belleza femenina sin artificio, pues su perfección y encanto no lo necesitan. Señala el narrador desde el inicio de la novela: «a la fama de su hermosura, ya frecuentaban la calle muchos pretendientes» (p. 1530).

B. *Las pícaras bonitas*

La segunda categoría consta de tres heroínas apicaradas: Elena, Teresica y Teresa de Manzanares. Las tres reflejan un gran atractivo físico porque son bonitas y, a veces, usan cosméticos para hacer resaltar más las buenas partes que poseen; suelen también vestir muy bien y se preocupan mucho por la apariencia física exterior en general.

La lindura de la picarona Elena es muy evidente por toda la obra. No sólo la describe el narrador con gran esmero, sino que la comentan mucho los personajes. Es tan notable esta belleza de la protagonista que la absuelve de todo pecado y de todo peligro [2]. Leemos en *La hija de Celestina*:

> Pero ya que estaba junto, al punto que alzaba el brazo para ejecutar el golpe, reconoció los ojos que le habían vencido; y refrenando la mano... Y como si él conociera a Elena por persona abonada, desde el día de su nacimiento, y no fuera posible en el mundo que mujer de tan buen talle fuera ladrona... —Bien creo yo

---

[2] Thomas Hanrahan: *La mujer en la picaresca española,* Madrid: José Porrúa Turanzas, 1967, pp. 259-260. Véase además Guzmán Alvarez: «El amor en la novela picaresca española» en *Publicaciones del Instituto de Estudios Hispánicos, Portugueses e Iberoamericanos de la Universidad Estatal de Utrecht.* El Haya: G. B. van Goor Zonen, 1958, pp. 134-136.

que vuestra merced lo es, y tanto, que por vida mía que no jure yo en su abono; pero de voluntades y corazones. Que de tan bello rostro más lícito es presumir que roba almas que dineros (p. 904).

Como se puede observar en el pasaje anterior, Don Sancho, el caballero recién burlado por la enmascarada Elena, está tan cautivado de la belleza deslumbrante de la pícara que al momento de castigar a la culpable estafadora se transforma en perseguidor amoroso al igual que la pícara se transforma en ladrona de «voluntades y corazones».

Naturalmente, en esta escena del encuentro del perseguidor y la perseguida, también tenemos la gran influencia del amor idealizado que transforma la realidad imaginada en realidad vista. No obstante esta influencia amorosa, es la belleza —más señalada aún ante los ojos de este galán enamorado— la fuerza estimulante de esta transformación, pues lo asegura el mismo narrador al principio de la obra cuando exclama:

¡Oh, qué mujer señores míos! Si la vieran salir tapada de medio ojo, con un manto destos de lustre de Sevilla, saya parda, puños grandes, chapines con virillas, pisando firme y alargando el paso, no sé yo cual fuera dellos aquel tan casto que por lo menos dejara de seguilla, ya que no con los pies, con los ojos... (páginas 891-892).

A pesar del estudiado arreglo, Elena posee un atractivo físico extraordinario, pues logra conquistar a los hombres de tal manera que estos idealizan la realidad como hemos visto en el caso del galán Don Sancho.

Otra lindura bastante notable es la de Teresica en *El escarmiento del viejo verde.* Ni aún el descuido a voluntad de los artificios cosméticos logra afectar el grado de su guapura. «Una mozuela de muy buena cara» es como la describe el narrador a pesar del hecho de que acaba de salir de «entre asadores y sartenes» (p. 106).

En cambio, la más presumida de este grupo, Teresa de Manzanares, la figura central de *La niña de los embustes,* se preocupa mucho por el estado de su cara, y sobre todo, por el de su cabellera que sabe retocar con pelucas y pelos postizos. Apunta el personaje: «Llegóse un día de fiesta, en el cual quise (ayudándome Teodora) fabricar la invención del copete... no me descuidaba de la cara, por conservar la tez y curarla... no faltaban galanes que me deseaban servir» (pp. 1357, 1366 y 1404).

Es curioso notar que, en la obra donde aparece Teresa de Manzanares, no hay casi descripciones físicas de la protagonista, a no ser que se trate de la cara y ahora del pelo. Por consiguiente, hay que deducir la lindura de esta protagonista por el atractivo físico que demuestra tener, «No faltaban galanes que me deseaban servir», afirma la protagonista del pasaje anterior.

C. *Las pícaras hermosas*

Esta categoría consta de tres heroínas apicaradas que no poseen una belleza que cautiva a los hombres irremediablemente. La hermosura de Justina, por ejemplo, acusa una lozanía propia de su temprana edad sin llamar mucho la atención. Por consiguiente, su aspecto físico no influye esencialmente en el éxito de su carrera [3]. Solamente en otra ocasión se hace mención al aspecto físico que caracteriza al personaje: «provocaba a lástima a los que veían que una tan buena moza la obligaba su pobreza a tales extremos, y su castidad a tales trazas... Y como la gente de la romería viese a la puerta de la iglesia, cosa allí pocas veces usada, una mujer de buen talle, compadecíanse de mí» (p. 813). Es evidente que esta hermosura de Justina es más marcada aquí porque es relativa, ya que es producto del contraste entre la cara resplandeciente de la joven picarona y el manto viejo que ella pide prestado a una pordiosera.

Otra heroína de hermosura aplacada es Teodora en *La dama del perro muerto*. La moza arrogante se viste bastante bien pero no logra atraer la atención. Apunta el narrador:

> Valiente en el talle y briosa en el lenguaje, el color del rostro moreno, el de los ojos negros, el de los dientes blancos y el de los cabellos pardos. Mostraba en las manos el deseo que tenía de parecer bien; y aún toda su persona lo decía a voces; porque el arte de vestirse era peregrino, andar cuidadoso, el cubrirse y descubrirse con el manto, tal vez echando mano, y tal vez envainándola en el guante, se había adquirido a fuerza de largo estudio, representando tan bien este papel, que se conocía claro, que antes de salir al tablado se ensayó muchas veces (pp. 67-68).

La hermosura de Teodora resulta ser bastante artificial y estudiada, dándole un aire de falsedad o de amaneramiento teatral. Leemos en esta

---

[3] Véase la nota uno de este capítulo.

ocasión que aparecía «representando tan bien este papel... antes de salir al tablado...».

En cambio, en el caso de Cristina de *El coche mendigón,* se sabe que la madre es muy bella, sin embargo, no se sabe con certeza si la hija ha heredado las cualidades maternas. Solamente existe una sola alusión vaga a la hermosura de Cristina: «Mostraba ella aquel semblante que siempre tuvo esparcido, como disen *[sic]* que sale la aurora, entre rifa *[sic]* y llanto» (p. 372). Por lo visto, es la menos hermosa del grupo.

Acabamos de comprobar que no hay pícaras feas. La mitad, de estas heroínas apicaradas, exhibe una gran belleza física natural, otras tres exhiben una belleza singular y usan frecuentemente afeites y cosméticos, y finalmente las últimas tres no exhiben una belleza tan pronunciada, pero distan mucho de ser feas. Pues bien, la belleza de la pícara seiscentista es muy importante, sobre todo, en su sentido utilitario. Por lo tanto, el aspecto físico sirve de primer punto de contacto entre la pícara y el ambiente social.

Al introducirse la bella heroína apicarada en este laberinto social, es su inteligencia y después su mundología, las que van a reforzar su aceptación final, como vamos a observar en los apartados que siguen.

La inteligencia de la pícara

Las doce heroínas apicaradas de este estudio se agrupan en tres categorías fundamentales de acuerdo con el grado de inteligencia que demuestran poseer: las excepcionales, las normales y las menores.

A. *Las pícaras de inteligencia excepcional*

En esta categoría se pueden incluir tres protagonistas: Teresa de Manzanares, Elena y Teresica. Teresa de Manzanares es la personificación misma de la astucia y de la precocidad mental. Ya desde la primera infancia ella da pruebas de una vivacidad y un *savoir faire* sin límites. Afirma la propia heroína apicarada:

> Ya hacía mis mandados trayendo vino para los huéspedes y otras cosas de una tienda vecina a nuestra casa, imprimiéndoseme lo de la risa como carácter que

no se me borró en toda la vida. Era un depósito de chanzonetas, un diluvio de chistes, con que gustaban de mí los huéspedes, y me las pagaban a dineros, con que mis padres me traían lucida (p. 1350).

Además de la vivacidad infantil, también se nota una gran inteligencia y una desenvoltura social excepcional durante la segunda infancia de Teresa de Manzanares. Esto se observa claramente cuando la moza frecuenta las clases de labor, superando a todas las alumnas en poquísimo tiempo. Agrega la protagonista de la obra:

Allí acudí a labrar aventajando en esto a todas cuantas condiscípulas tenía en menos de un año, cosa que admiraba a las maestras. Era yo tan inquieta con las demás muchachas, que siempre las estaba haciendo burlas, haciéndolas creer cuanto quería, que eran notables disparates, todos con orden, al salir con mis burlas, con lo cual granjeé el nombre de *La Niña de los Embustes,* que dilaté después porque no se borrase mi fama (p. 1350).

Nótese que es tanto el orgullo que siente Teresa de Manzanares por su fama de embustera que se preocupa en conservarla como si fuera una gran honra. Y más tarde, la heroína sorprende al lector cuando desarrolla el papel de alcahueta a tan temprana edad y con tal perfección que maravillaría aún a Celestina por su gran precocidad y experiencia. Confiesa la narradora a propósito:

Era yo el archivo de sus secretos y la llave de su corazón, y así confería conmigo lo requestada [*sic*] que era de estos tres galanes por recaudos y papeles... Era yo acariciada de todos tres, deseando trabar conversación y tener conocimiento conmigo... Vime primero con el médico, haciéndome encontradiza con él... me compró cintas, arracadas y valonas... No me contenté con traer al médico sólo en la danza del amor, pues es más de estima cuanta más gente se va a danzar... Dile a entender cómo el médico regalaba a mi ama, por ver si esto lo animaba a otro tanto para excederle... a mí me dio la misma tela para un jubón... (páginas 1352-1354).

Ya desde esta época, la preadolescente Teresa, demuestra su alto grado de inteligencia al poder llevar a buen éxito todas las burlas que realiza. Este factor intelectual es sumamente esencial en la picaresca femenina y Teresa exhibe un alto grado de inteligencia al igual que una sorprendente e «innata astucia» [4].

La otra heroína de inteligencia excepcional es Elena, la protagonista

---

[4] J. A. van Praag: *op. cit.,* p. 68.

de *La hija de Celestina.* No sólo es precoz en la prostitución sino también en la desenvoltura y gracia con las cuales desempeña esta profesión a tan temprana edad [5].

Nos informa el personaje:

> Ya yo era de doce a trece y tan bien vista de la corte, que arrastraba príncipes... Tres veces fui vendida por virgen. La primera a un eclesiástico rico. La segunda a un señor de título. La tercera a un ginovés *[sic]*... Este fue el galán más asistente que tuve... andaba el pobre hombre loco, y tanto, que habiendo destruido con nosotras toda su hacienda, murió en la cárcel (p. 901).

Si bien es verdad que la madre la guía completamente cuando tiene trece años, no es menos cierto que la astucia de Elena se debe, esencialmente, en saber seguir los expertos consejos maternos y en saber sacar provecho a todo lo que trama durante su corta vida. También llama la atención el comportamiento de la Elena adulta durante una estafa monetaria que hace a un enfermo:

> Elena que sabía que una mujer hermosa tal vez persuade más con los ojos llorando que con la boca hablando, en lugar de razones, acudió con una corriente de copiosas lágrimas tan bien entonada, ya alzando ya bajando, limpiándose ya con un lienzo los ojos por mostrar la blanca mano, y ya retirando el manto porque se viesen en el rostro las lágrimas... (p. 896).

La tercera heroína de este grupo excepcional es Teresica, que aparece en dos novelas diferentes de Salas Barbadillo. En *El escarmiento del viejo verde* la moza inexperta se deja guiar por una vieja taimada, pero en *La niña de los embustes,* ya toma las riendas de la acción sin necesitar ninguna guía celestinesca. Sin embargo, al igual que Teresa de Manzanares, Teresica acepta la colaboración de sus criadas. Señala el narrador de *La niña de los embustes*: «... prometiéndole todas secreto hasta la muerte, amonestándolas ella, no sólo con las palabras... sino con obras, dando a cada una parte en lo conquistado, a cual una joya de las mejores, y a cual una gala de las más ricas» (pp. 260, 262). Esta es una buena táctica, el compartir el botín, pues no solamente tiene contentas a sus cómplices con las dádivas, sino que además evita que la traicionen como le sucede a Teresa de Manzanares con sus dos cria-

---

[5] Thomas Hanrahan: *op. cit.,* pp. 259-260.

das. Por otro lado, las burlas de esta taimada heroína tienen tales dimenciones que abarcan varios propósitos y varias víctimas de un solo golpe.

B. *Las pícaras de inteligencia normal*

En esta categoría incluimos a heroínas de gran inteligencia también. Ahora bien, conviene añadir que el término de normal se emplea relativamente, pues está relacionado con el grado de inteligencia de las otras pícaras que preceden. Por cierto, las protagonistas que aparecen en esta categoría están dotadas, precisamente, de una vivacidad mental superior a la normal.

Constanza, una de las cuatro «harpías», sobresale entre ellas por su gran astucia e independencia mental: sabe actuar por sí sola sin la necesidad de una guía celestinopicaresca, pues es ya adulta y más experimentada. La víctima es un cura avaro, y la pícara es una viuda en apariencia. Veamos el siguiente pasaje:

> ... se trató de la viuda y él la dio cuenta del empréstito que la había hecho sobre las joyas, y diciendo esto, se levantó y de un cofre que tenía a la cabecera de su cama (custodia de su tesoro) sacó el cofrecillo que estaba renovando las memorias de los que dejó el Cid al judío lleno de arena. Abriole y sacando una cajuela en que le parecía que estaría una rosa de diamantes, halló en su lugar un duro pedernal de los que parten las ruedas de los coches de Madrid rodando por sus calles (p. 137).

Constanza se burla del burlador. Recordemos que, al comienzo del material novelístico, es el astuto cura el que desea aprovecharse de la aparente ingenuidad de la joven viuda, pero al final, resulta burlado. Esta heroína apicarada es la única, de las cuatro «harpías», que logra obtener éxito de una víctima tan astuta y tan avara. Gran parte de la astucia de Constanza se debe también a su labia engatusadora [6].

Flora, otra heroína apicarada de este grupo, se distingue también por su labia astuta. Dicha astucia no proviene esencialmente de un proceso intelectual de gran meditación sino de una agilidad mental que se manifiesta instintivamente. La labia de Flora es un juego de pala-

---

[6] J. A. van Praag: *op. cit.*, pp. 69-70.

bras e ideas con las cuales logra engañar y desengañar intermitentemente, es decir, se convierte en un ligero conceptismo humorístico. Dice el personaje de *La sabia Flora Malsabidilla*:

> Mi madre murió moza, porque fue mujer de extraordinaria penitencia, andaba descalza, dormía en el suelo, y muchas veces recibía tan grandes disciplinas, que llegaban los azotes a doscientos; y una vez que se dobló este número, dio su alma a su Criador: fue muy perseguida en el mundo en quien tuvo para sí mal dicha, con ser ella para todos la misma buenaventuranza (p. 314).

En otras palabras, la madre de Flora era una gitana que había sido perseguida por la ley frecuentemente. Sus oyentes, que caen víctimas de este juego astuto de Flora, creen todo lo contrario al imaginarse que la madre era una santa en tierra hereje [7].

C. *Las pícaras de inteligencia inferior*

La última categoría consta de siete protagonistas que distan mucho de la vivacidad mental de Teresa de Manzanares. Estas mujeres no son retrasadas mentales, pero la inteligencia que demuestran tener no siempre las lleva a un éxito final en las burlas que intentan ejecutar, y necesitan, casi siempre, una guía celestinopicaresca, excepto Justina que, en realidad, es un caso aparte como vamos a comprobar en éste y otros apartados. Por ello, esta categoría de las pícaras de inteligencia inferior, hay que dividirla en dos subcategorías: las menos inferiores, en la cual tenemos solamente una pícara, y las más inferiores, en la cual incluimos seis pícaras.

1. Las menos inferiores

Justina, la única de esta subcategoría, posee una astucia traviesa y cierta facilidad para el aprendizaje de cosas nuevas. También revela ser dueña de una buena imaginación, creando constantemente infinidades de travesuras y burlas menores. Dice la protagonista de *La pícara Justina*:

> Y así, yo eché a volar mi pensamiento para cazar una traza conveniente con que cumplir mi deseo sin pecar ... me puse mi manto, que era largo y me cubría

[7] Ibíd., p. 68.

todos mis ribetes y cortapisas, y puesta ansí, que el diablo no me conociera, me tapé como condesa viuda, ... me senté a la puerta de la iglesia como pobre envergonzante; puse sobre mis rodillas un pañuelo blanco para que los que me hubiesen de tirar limosna diesen en el blanco y para señuelo de que pedía y no para los mártires (pp. 812-813).

A pesar de recibir mucha limosna, no obtiene un gran beneficio por ser todas las monedas de poquísimo valor. Y en otra oportunidad, exhibe gran habilidad al desarrollar el papel de confidente; pero por falta o de interés, o de arrojo, o de astucia, o de codicia, Justina se conforma con una ganancia insignificante. Dice al respecto: «Yo no andaba muy sobrada de comida, como ni de dineros, pero nunca hay falta donde traza sobra, en especial en esta ocasión, en la cual con el dedo se adivinara que era muy cierta la merced de Dios —que así se llaman huevos y torreznos con miel» (p. 833). He aquí la ganancia que obtiene Justina: un postre.

En cambio, en otra ocasión, Justina reacciona con bastante astucia, pues al morir su recién adquirida tutora clandestina, la heroína logra posesionarse de todo el dinero y bienes de esta vieja avarienta. Explica la narradora a propósito:

Tras esto voy derecha a la cámara benedicta donde tenía la pecunia, fui cargada de llaves, y probando una y otra, abrí un cofrecillo barreteado, y en él hallé —gloria es el decirlo, y regocijo el mentarlo— envueltos cincuenta doblones de a cuatro, con lo cual pude doblar por ella, pues ella doblaba por mí (página 862).

No obstante este repentino e inesperado éxito de parte de Justina, cuyo comportamiento acusa codicia y astucia en el travieso personaje, dicho éxito es único y aislado en cuanto se refiere a la magnitud de la codicia monetaria y, sumamente curioso por su acierto casual en cuanto se refiere a la astucia típicamente picaresca [8].

---

[8] Thomas Hanrahan: *op. cit.*, p. 237, y Guzmán Alvarez: *Le thème de la femme dans la picaresque espagnole,* Wolters: Groningen-Djabarta, 1955, p. 20, y del mismo autor: «El amor en la picaresca española», aparecido en *Publicaciones del Instituto de Estudios Hispánicos, Portugueses e Iberoamericanos de la Universidad Estatal de Utrecht,* El Haya: G. B. van Goor Zonen, 1958, pp. 133 y 154.

2. Las más inferiores

En esta subcategoría hay seis heroínas que relativamente son las más inferiores en inteligencia entre las doce que analizamos. La primera es Rufina, que a pesar de ser conocida por «La garduña de Sevilla», se deja engañar miserablemente por un amante que la goza a cambio de un vestido que resulta ser ajeno. Esto lo comprobamos cuando el narrador señala:

> No tuvo réplica que hacer a esto Rufina, y así, reventando de enojo, se levantó de la mesa y sacó el vestido del cofre que le encerraba y diósele a Roberto... quedando Rufina ofendida de la cautela con que se le había sacado de su poder el vestido, cuando se juzgaba señora de él (p. 1531).

Es evidente que la falta de inteligencia de Rufina es tal que no le permite deshacer la astuta maquinación de su amante y resulta burlada.

Después, al quedar viuda, Rufina se deja entrampar también por el sobrino del difunto marido. Apunta el narrador de la misma obra:

> Enterróse al buen Sarabia, y con la turbación con que Rufina estaba no cuidó de lo que otras viudas, que era ocultar bienes, y así un sobrino del difunto, acabado de enterrar a su tío cargó con todo cuanto había en casa, y fue menester pleito para sacarle de su poder en lo que Rufina había sido dotada (p. 1535).

Si la inteligencia le sirve a la pícara para dominar y sacar provecho de todas las situaciones que la vida le ofrece, es claro que la carrera picaresca de Rufina se presenta más como un fracaso que como un éxito cuando la heroína actúa por su cuenta [9].

Otra heroína de este grupo es Luisa, protagonista ingenua que adquiere un amante recién llegada a Madrid por mediación de la madre alcahueta. Todas las maquinaciones celestinopicarescas las dirige la madre, y Luisa, una de las figuras centrales de *Las harpías en Madrid,* se resigna a seguir las instrucciones maternas al pie de la letra. Feliciana, la hermana menor de Luisa, corre el mismo riesgo, pero resulta ser más audaz y astuta que su hermana mayor, pues tiene amoríos a escondidas: «No se sabía de Feliciana más travesura, que la que con su maestro de danza había hecho quizá por paga de la buena enseñanza» (p. 12).

Claro que es la prevalente belleza en estas mozas de menor inte-

[9] Guzmán Alvarez: «El amor en la ...», p. 154 y siguientes.

ligencia lo que consigue asegurar el éxito de sus estafas, pues la seducción erótica aparece aún entre las más astutas y, como es natural, la belleza es complemento de la seducción. Observemos lo que opina el narrador de *Las harpías en Madrid* sobre Feliciana: «No pudo dudar del buen suceso, quien consigo llevaba tanta hermosura; y así, aunque dio dos filos a su ingenio, podémosle agradecer más al hechizo de su beldad que a lo agudo de su astucia el conseguir su deseo» (p. 31). He aquí el sostén a la falta de inteligencia de Feliciana.

A pesar de la ayuda de la belleza física, hay algunas heroínas apicaradas que necesitan continuamente otra ayuda: la guía de una tutora celestinopicaresca. Este es precisamente el caso de Dorotea, la cuarta protagonista de este grupo. Esta heroína necesita incesantemente la cooperación de su madre y la de su taimada criada y cómplice. Se debe añadir que es la menos dotada mentalmente de este grupo de «harpías» y que casi carece de gracia y labia, tan indispensables para la pícara del siglo XVII [10].

La serie de heroínas de menor inteligencia termina con Cristina y Teodora. Aquélla, protagonista de *El coche mendigón,* es una moza alegre que no demuestra ser ni astuta ni estúpida, puesto que su conducta bizarra no indica con claridad una cosa u otra. Nótese la descripción captada por el narrador:

> Cristinica nació desde niña tan inclinada a los coches que su mayor gozo era que la passeassen en el carretonzillo donde se avía criado, aun ya quando la edad la avia puesto en obligación de buscar otros entretenimientos *[sic]* ... entró a servir de doncella laboriosa a cierta señora ilustre con tal condición: que la avía de pagar sus salarios en moneda de coche llevándola en él a todas las fiestas y regozijos públicos que se ofreciessen *[sic]* ... (pp. 362-363).

La obsesión de los coches es la única ambición que define a Cristina, y es una peculiaridad de muy pocas consecuencias, puesto que abrirse paso en la vida y mejorarse, quiere decir, en la visión de esta heroína, tener un coche. A la limitación de ambiciones apicaradas, se añade, además, la casi inexistencia de astucia que es tan abundante en los otros personajes. Y, finalmente, Teodora, la figura central de *La dama del perro muerto,* y la última de esta serie, revela una carencia total de

---

[10] J. A. van Praag: *op. cit.,* p. 68.

astucia apicarada, puesto que todos se burlan de ella debido a que es tonta e ingenua y, lo peor de todo, carece de una guía celestinopicaresca.

Se puede asegurar que la mitad, de las doce heroínas apicaradas en este análisis, demuestra tener una inteligencia bien superior a la normal humana. La última heroína de esta primera mitad es Justina, pues a pesar de reflejar cierta vivacidad precoz, dirige esta energía mental en otra dirección, resultando la estafa apicarada una burla infantil o una estafa de poquísimo provecho si se compara con las estafas de Teresa de Manzanares, Elena, Teresica, Constanza y Flora. De más está decir que, es el grado de inteligencia de cada una de estas pícaras lo que va a determinar, mayormente, la adquisición de cierta mundología apicarada.

La experiencia mundana de la pícara

Otro factor decisivo, en el logro de un buen éxito en las burlas y estafas femeninopicarescas, es la experiencia mundana de la protagonista apicarada. Durante su infancia y adolescencia, la heroína adquiere cierta mundología a través de sus experiencias ambientales, porque mientras más astuta y hermosa es la pícara y mientras más hampesco y celestinopicaresco es el ambiente, más rápidamente aparece configurada una mundología apropiada en la heroína.

Encontramos tres gradaciones entre las doce protagonistas de nuestro estudio: las pícaras de mucha mundología, las pícaras de escasa mundología y las pícaras casi carentes de mundología, lo cual produce las tres categorías correspondientes.

A. *Las pícaras de mucha mundología*

La primera heroína apicarada de esta categoría es Teresa de Manzanares, pues ya desde los cinco o seis años de edad demuestra poseer bastante conocimiento de la vida picaresca para recibir dineros y favores de todos en el mesón donde se cría. Nos informa la protagonista de *La niña de los embustes*:

> Ya hacía mis mandatos trayendo vino para los huéspedes y otras cosas de una tienda vecina... imprimiéndose lo de la risa como carácter... Era un depósito

de chanzonetas, un diluvio de chistes, con que gustaban de mí los huéspedes, y me las pagaban a dineros, con que mis padres me traían lucida (p. 1350).

Como se puede notar, esta mozuela comprende ya la picardía, pues se aprovecha de las oportunidades que se le presentan sacándoles buen partido: «me las pagaban a dineros». Esta afirmación no sólo anuncia la importancia del dinero y del provecho material en general, sino que casi anticipa su futura personalidad burlona, sobre todo, cuando habla de «la risa como carácter». Además, no solamente goza Teresa haciendo mandados y favores al igual que cantando y bailando «Era un depósito de chanzonetas», sino que recibe pago por estos placeres personales.

Es el mesón de los padres la gran escuela de la picardía infantil de Teresa de Manzanares, y es por eso que, después de quedar huérfana de padre a los siete años y de madre a los diez, la preadolescente puede enfrentarse sola a la vida y lograr éxito. Conviene aclarar que, su mundología es ya tan amplia, que la heroína se lanza a la alcahuetería aún sin haber experimentado personalmente la prostitución.

La primera clienta de la protagonista alcahueta es Teodora, hija de una de las maestras de labor y en cuya casa Teresa vive de criada y dama de compañía. Es curioso notar cómo la preadolescente protagonista controla la situación:

Era yo el archivo de sus secretos y la llave de su corazón, y así confería conmigo lo requestada que era de estos tres galanes por recaudos y papeles, aunque no se mostraba inclinada a ninguno... me pareció traer embelesados a estos tres amantes. Vime primero con el médico... Todo era echar leña al fuego... llevóme a una tienda, en la cual me compró cintas, arracadas y valonas... (p. 1352).

De más está decir que, la alcahueta Teresa, logra obtener del médico infinidad de regalos. Sin embargo, a pesar de la ganancia, Teresa de Manzanares no termina su juego amoroso hasta que no satisface su curiosidad y avaricia a plenitud. Tal es la mundología de esta jovencísima alcahueta que bien se pudiera confundir con su abuela literaria: la Celestina. Observemos ahora como hila las pasiones y los sentimientos en este pasaje que citamos de la obra:

— Pues yo sé cierto que el médico os desea con buen fin.
— ¿Cómo lo sabes? —me dijo ella.
—Sus acciones lo manifiestan —acudí yo— y el haberse él declarado con per-

sonas que a mí me lo han dicho y yo tengo por perfecto amor aquel que se manifiesta no sólo con acciones, sino con obras (p. 1353).

Naturalmente, al declarar Teresa la nueva condición del pretendiente, «Sus acciones lo manifiestan», y al asegurar lo declarado, «que a mí me lo han dicho» y «con obras», desenfrena en Teodora dos pasiones potentes: la curiosidad y la avaricia. Debido a ello, Teodora reacciona exactamente como lo desea la alcahueta Teresa. Nótese lo que ya afirma Teodora al enterarse que el amante es liberal: «... y tanto me pudiera obligar, que teniendo firme experiencia de su voluntad hallara entrada en la mía, porque estoy informada que espera heredar a un tío suyo» (p. 1353).

Es obvio que, Teresa de Manzanares, no excede todavía a Celestina en su maquinación y que Teodora es una víctima fácil, «Ya estaba con lo visto tan de parte del médico, que si en su mano estuviera, aquella noche se la diera de esposa» (p. 1353). Es preciso señalar también la gran desenvoltura y mundología de la jovencísima alcahueta, pues es tan fuerte el desenfreno pasional que logra estallar en Teodora que tiene que frenar repentinamente y con acierto esta precipitación inoportuna, «mas yo la reprendí su arrojamiento» (p. 1354).

Una de las estratagemas que emplea la joven Teresa para contener a Teodora es cambiar de partido e irse hacia otro pretendiente. Apunta la protagonista alcahueta en esta ocasión:

—Señora, no hay sino buen ánimo y no mostrar afición a nadie; hoy he hecho la mejor hazaña que mujer del mundo acabó, pues he sacado de poner de un hombre de palacio un vestido para vuesa merced; valor ha sido grande quitarle a un hombre en un día lo que guardaba para matar el hambre en muchos. Ahora veo cuan poderosa fuerza es la del ciego dios que hace anteponer su deseo al sustento de una sabandija palaciega (p. 1354).

Este cambio de pretendiente no sólo logra calmar a Teodora, sino que sigue al pie de la letra la ideología femeninopicaresca en cuanto se refiere a la alcahuetería: obtener la mayor ganancia [11]. Y este comportamiento revela explícitamente la gran mundología de la mozuela protagonista.

---

[11] Ernest H. Kilgore Hillard: *Spanish Imitations of the Celestina,* Ann Arbor (Michigan): University Microfilms, 1957, pp. 343-349. También J. A. van Praag: *op. cit.,* pp. 63-74.

Notable es que, a pesar de haber quedado huérfana de padres, Teresa de Manzanares exhibe a los once años tanta experiencia mundana que ya se le puede asegurar un futuro próspero. Esta mundología se va profundizando a medida que pasan los años y Teresa logra conquistar casi todos sus propósitos, ascendiendo a una posición elevada con la ayuda de este conocimiento mundológico [12].

Otra protagonista de este estudio, Justina, la figura central de *La pícara Justina,* adquiere también una mundología traviesa a través del ambiente. Tanto el ambiente mesonil como la herencia de sus padres mesoneros, amoldan el carácter apicarado de este personaje. Y, sobre todo, son los consejos y las lecciones prácticas que recibe de los padres, lo que va a definir, mayormente, el desarrollo mundológico de la pícara Justina (pp. 738-739).

Demás está decir que, Justina aprende bien las lecciones de los padres y las emplea en el mesón diariamente; pero esta mundología nunca se manifiesta tan explícitamente como hasta el día de la muerte del padre. En esa oportunidad, Justina no sólo actúa con mucha socarronería apicarada aprendida del padre, sino que, irónicamente, el mismo padre sirve de ejemplo al ser víctima de un pleito con un huésped del mesón. Por un lado, el homicida del padre soborna a la madre para escapar de la justicia y, por el otro, Justina acepta conformemente un obsequio del homicida y se comporta despiadadamente la noche del velorio y el día del entierro. Véase su actitud:

> En viendo el mal recado, luego, para consolarnos, nos dio a cuantos estábamos en casa tres reales de a ocho, y a mi señora madre doce, por ver que llevaba este negocio con tanta paciencia... y con esto nos obligaron, él con dinero, y mi madre con su mandato, a decir a la justicia que nadie le había hecho agravio a nuestro padre... Cerramos nuestra puerta, como gente recogida; y aunque quisimos velar al difunto, no pudimos, porque el ratiño de Portaalegre [el homicida], en viendo cerrar las puertas, nos convidó a una muy buena cena... Dejamos en guarda de mi señor padre un perrillo que teníamos... En el entierro no lloramos mucho... (pp. 745-746).

---

[12] Es curioso notar que hasta aquí Teresa de Manzanares sigue la tradición celestinopicaresca consistentemente y se pudiera decir que es una ampliación de Elena, su precursora literaria inmediata. Consúltese la opinión contraria de Thomas Hanrahan: *op. cit.,* p. 249.

Quizás las lecciones de mundología que nos ofrece el autor del *Libro de buen amor* con respecto a la fuerza que tiene el dinero nos ayude a comprender este comportamiento de la pícara Justina [13]. No obstante esta actitud totalmente socarrona y sarcástica ante la muerte de su padre, es justo afirmar que Justina nunca logra las ganancias monetarias de Teresa de Manzanares y ni aún las de otras heroínas apicaradas de mucho menos mundología. Pues, es muy curioso notar que, a pesar de poseer Justina bastante conocimiento apicarado, el provecho que le saca es bien diferente, salvo algunas pocas excepciones, como en el trueque del supuesto agnusdei de oro y, sobre todo, en la herencia de una amiga vieja (p. 833). Lo que le interesa a Justina como ganancia de sus burlas son los placeres individuales y la libertad personal. Esto lo explica la propia protagonista en el siguiente pasaje:

Así que, señores, no se espanten que Justina sea amiga de bailar y andar, pues demás de ser herencia de abuelas, es propiedad de muchas, especialmente de todas. Verdad es que yo aumenté el mayorazgo lo que fue bueno de bienes libres, porque en toda mi vida otra hacienda no hice ni otro tesoro atesoré, sino una mina de gusto y libertad (p. 753).

Agreguemos, por último, que este espíritu de Justina, tan alegre e interesado en los placeres mundanos, nos hace pensar en Lozana, la protagonista de la obra de Francisco Delicado. Lozana es la personificación del espíritu renacentista italiano de a principios del siglo XVI, y es la promulgadora del gozo de los placeres sensuales de una manera casi alocada y desenfrenada [14]. Por consiguiente, por ésta y por otras razones

[13] Arcipreste de Hita: *Libro de buen amor,* Madrid: España-Calpe, 1967, volumen I, pp. 182-194. Para beneficio del lector citamos los fragmentos siguientes:

Mucho faz' el dinero, mucho es de amar:
Al torpe faze bueno é ome de prestar,
Ffaze correr al coxo é al mudo fablar,
El que non tiene manos, dyneros quier' tomar.
Sea un ome nesçio é rudo labrador,
Los dyneros le fazen fidalgo é sabydor,
Quanto más algo tiene, tanto es de más valor;
El que non há dineros, non es de sy señor.

[14] Francisco Delicado: *op. cit.* Esta obra apareció por primera vez en Venecia en 1528. También debemos recordar los versos de Lorenzo de Medici: *Triunfo de Baco y Ariana,* que se publican a finales del XV, y que invitan al gozo de los pla-

de personalidad, la mundología de Justina, a pesar de ser extensa, no suscita el mismo resultado que en las otras pícaras puesto que, como hemos comprobado, se proyecta en otras direcciones [15].

Teresica, la tercera protagonista apicarada de este grupo que demuestra poseer mucho conocimiento mundológico, necesita primero independizarse de su guía celestinopicaresca para exhibir ampliamente su madurez y experiencia mundana. Sin embargo, Teresica continúa a recibir la cooperación de sus criadas en la ejecución de burlas complicadas. No obstante esta ayuda, la protagonista es la ejecutora principal y la directora de todas las burlas y estafas. Ya el propio narrador nos pronostica, al principio de la segunda obra donde aparece Teresica, *La niña de los embustes,* la emancipación y madurez de esta astuta pícara: «... los que con curiosa atención leísteis la novela triste del *Escarmiento del viejo verde,* ya que allí os mostró la astuta Emerenciana el caudal de su ingenio, oíd y veréis ceñida en corto papel y breves renglones la habilidad de su discípula Teresica, que si la igualó o excedió, hablen sus mismas obras...» (p. 253).

---

ceres terrestres. Dichos versos aparecen en la obra antológica del autor, Attilio Momigliano: *Antologia della Letteratura Italiana,* Milano: Giuseppe Principato, 1958, vol. I, pp. 595-597:

Quant'e bella giovinezza,
che si fugge tuttavia!
Chi vuol esser lieto, sia:
di doman non c'è certezza.
....
Ciascun apra ben gli orecchi:
di doman nessun si paschi:
oggi siam giovani e vecchi
lieti ognum, femmine e maschi;
ogni tristo pensier caschi;
facciam festa tuttavia.
Chi vuol esser lieto, sia:
di doman non c'è certezza.
....
Quant'è bella giovinezza
che si fugge tuttavia!

[15] Véase la cita diez de este capítulo.

Así por ejemplo, Teresica ejecuta una burla doble tan a la perfección que la sitúa entre las pícaras de más conocimiento mundológico. Se trata de dos personas diferentes a la vez: a un antiguo amante, por ser envidioso y, a un supuesto pretendiente, por ser difamador de la reputación de las mujeres, Teresica quiere castigar. Al difamador, lo cita a venir a su casa y lo introduce en una habitación oscura, substituyéndole su persona por la de una criada vieja y fea; al envidioso, lo atrae a su casa en busca del primero que se supone estar recibiendo en cama los favores de Teresica. Pero a causa de la maquinación de esta heroína apicarada y la colaboración de sus criadas cómplices, la ley halla a la protagonista en perfecto estado de reposo y, a solas, en su habitación. Argumenta la narradora a propósito:

> ¡Ay, señores, señores míos! ¿Cómo es esto? ¿Hombre en mi casa esta mañana, y de semejantes señas? Yo creo en Dios que debe de ser alguna liviandad de la gente que tengo en mi servicio, que aunque por lo que a mí me toca procuro elegir siempre criadas virtuosas, al fin, al fin no hay que fiar de las más buenas, y muchas veces perdemos nosotras por ellas (p. 270).

La discípula de la astuta Emerenciana, miente, finge y disimula con tanta perfección ante la ley, que el amante envidioso resulta burlado al no lograr su propósito de sorprender a Teresica con un hombre en su habitación; y el amante difamador resulta mayormente burlado al ser hallado en brazos de una criada fea y vieja en vez de los de Teresica (páginas 267-270). He aquí la astucia mundológica de esta heroína.

Por otro lado, aunque Teresica se independiza de su guía celestino-picaresca, todavía necesita la cooperación de sus criadas para ejecutar burlas tan complicadas y elaboradas como esta doble que acaba de terminar. Una de sus criadas más astutas es Lucrecia. Pero no por esta colaboración de Lucrecia y de las otras criadas, se debe menospreciar el conocimiento mundológico de la protagonista, pues, sin la ingeniosa maquinación suya, esta burla doble y otras futuras ganancias monetarias no se podrían lograr con tanta perfección.

Es curioso notar que, a pesar de que Teresica aprende bien las lecciones recibidas de Emerenciana, la causa de esta burla doble no es el legendario beneficio monetario, obviamente aquí no existe. Es evidente que el único motivo de la burla doble es la cuestión de la reputación y de la restitución del supuesto buen nombre de Teresica, y también, el deseo de ejecutar una venganza contra los dos amantes [16].

Elena, la cuarta protagonista de este grupo de pícaras de mucha mundología, y la figura central de *La hija de Celestina,* ejecuta burlas y estafas con éxito pero nunca sin la cooperación de otras personas de mayor o menor experiencia picaresca. Muchas veces, es Elena la que dirige la acción a pesar de tener guía celestinopicaresca. Por ejemplo, citemos la estafa que la protagonista comete contra un viejo adinerado. Observemos cómo Elena y su compañía —un paje, un cochero amante y una guía celestinopicaresca— ejecutan el acto:

> Aquí Elena ordenó al pajecillo que se apease y... le dijese que una señora montañesa... le quería besar las manos; y así le suplicaba que en todo caso le diese licencia...
>
> Aquí, Elena que sabía que una mujer hermosa tal vez persuade más con los ojos llorando que con la boca hablando, en lugar de razones, acudió con una corriente de copiosas lágrimas tan bien entonada, ya alzando, ya bajando, limpiándose ya con el rostro las lágrimas... la anciana vieja, que le pareció empezar por donde la compañera acababa, acometió con todo brío... al ademán de los cabellos, y tirando de uno de ellos que traía postizos... pareció que los arrancaba a manojos... (pp. 896-897).

Si bien es cierto que Elena recibe apoyo de su cortejo apicarado y, sobre todo, de la anciana que se tira del pelo, también es cierto que Elena dirige toda la acción en esta actuación [17]. Cada uno de los tres acompañantes reacciona a la orden de esta astuta pícara: «ordenó al pajecillo que se apease», y después añade: «le dijese que una señora montañesa...». No obstante esta relativa independencia en el caso de Elena, la heroína emplea la cooperación de ellos para ejecutar esta estafa complicada y otras más. En otras palabras, a pesar de la ayuda recibida, Elena muestra suficiente individualismo para reflejar una buena dosis de mundología apicarada: «Elena que sabía que... con los ojos llo-

---

[16] Thomas Hanrahan: *op. cit.,* pp. 255-257. Además, J. A. van Praag: *op. cit.,* página 68. Es curioso notar el antimasculinismo en estas protagonistas apicaradas; dicho elemento reaparece constantemente en el comportamiento de la pícara seiscentista y se nota más aún cuando tratemos de la crueldad en este retrato de la pícara, tema de otro apartado.

[17] Thomás Hanrahan: *op. cit.* p. 250.

rando... en lugar de razones... copiosas lágrimas... por mostrar la blanca mano... porque se viese el rostro». En estos renglones nos damos cuenta de que la actuación de Elena es completamente suya y refleja una mundología femeninopicaresca tan avanzada casi como la de las pícaras más reconocidas por tal.

B. *Las pícaras de escasa mundología*

Las heroínas apicaradas de este grupo, no solamente necesitan la cooperación y la guía constante de una persona mayor o más experta que ellas para desenvolverse con éxito, sino que exhiben, además, una dosis muy inferior de mundología apicarada. A pesar de que estas mujeres no demuestran tener tanta mundología, sí poseen un conocimiento básico de la vida que, acompañado de una guía experta, las lleva a una desenvoltura suficientemente apropiada para evitar contratiempos.

La primera protagonista de este grupo de escasa mundología, lo encabeza Flora, la figura central de *La sabia Flora Malsabidilla.* Esta heroína apicarada, no sólo acepta la cooperación y guía de su amiga Camila, sino que, además, necesita un largo tiempo para ejecutar su única estafa. Resulta curiosa esta tardanza en el caso de Flora; pues, la heroína obtiene un buen entrenamiento durante su postadolescencia cuando depende de la prostitución como único modo de ganarse la vida; pero, o por falta de interés, o por tener el interés puesto en el deseo de vengarse de su exnovio que la desprecia y abandona durante su juventud, o por falta de inteligencia, esta gran experiencia vital —la prostitución— no se traduce en mundología apicarada de grandes consecuencias como ha de esperarse.

Rufina, la segunda y última de este grupo, no muestra mucha mundología tampoco a pesar de tener padres pícaros. La madre de la protagonista de *La garduña de Sevilla,* muere joven y la huérfana no recibe un entrenamiento apropiado de su padre para gozar una buena vida apicarada. Es más bien, el abandono materno y paterno y, sobre todo, los grandes escarmientos de la vida, lo que educa a Rufina. Ahora bien, a pesar de estos factores tan propicios para la adquisición de cierto conocimiento mundológico, Rufina necesita constantemente un guía picaresco para ejecutar sus burlas con éxito. Y más tarde,reemplaza a Garay, su amante y guía, con un joven bien parecido, que resulta ser más pícaro que la propia heroína apicarada (pp. 1617-1618).

C. *Las pícaras casi carentes de mundología*

La tercera categoría la forman seis heroínas que exhiben un mínimo de mundología. Esto se debe, mayormente, a la falta de una guía celestinopicaresca que las eduque durante la infancia o adolescencia. Las cuatro «harpías» forman parte de este grupo por necesitar la dirección constante de doña Teordora —madre de dos de las «harpías»— para poder ejecutar la única estafa de su corta vida apicarada.

Las otras dos heroínas de esta categoría son Cristina, la del coche, y Teodora, la tonta. Ambas carecen de una mundología básica y necesaria para lograr los menores éxitos en la ejecución de burlas y estafas picarescas. Cristina, la figura central de *El coche mendigón,* se desinteresa completamente en adquirir la cooperación de una guía, actuando solamente una vez con interés apicarado. En cambio, Teodora, la protagonista de *La dama del perro muerto,* intenta ejecutar constantemente estafas simples pero nunca tiene éxito y recibe la risa de todos (páginas 74-76 y 82-89).

De lo anterior se desprende que la mundología celestinesca es indispensable para el logro de las burlas de estas heroínas apicaradas. Sin un conocimiento apropiado, las maquinaciones femeninopicarescas no se pueden realizar. Por consiguiente, la heroína necesita, o aprender rápidamente —como es el caso de Teresa de Manzanares y Justina, que provienen de un ambiente mesonil— o emplear la dirección y cooperación de una guía celestinopicaresca —como es el caso de Teresica y Elena—. Entre estas cuatro pícaras, solamente una, Justina, raramente emplea la cooperación de otras personas; por tanto, precisa recordar que las burlas de Justina son de una índole bien diferente al resto de las heroínas apicaradas de este estudio.

La segunda categoría consta de dos heroínas que emplean más frecuentemente la dirección y cooperación de personas de gran conocimiento celestinopicaresco, como es el caso de Flora y de Rufina. Pero el empleo de una guía apropiada es constante y necesario en el caso de las cuatro «harpías, pues no provienen de un ambiente apicarado y, como es natural, necesitan la dirección y cooperación de una o varias personas de mayor experiencia y de mucha mundología celestinopicaresca para lograr éxito en sus burlas. Por eso, la tercera categoría consta de las cuatro «harpías» y otras dos heroínas, Cristina y Teodora, que carecen de un mínimo de mundología y de la dirección y la cooperación de una guía apropiada.

Conclusiones

En resumen, se ha podido comprobar que no hay pícaras feas. Todas las heroínas apicaradas que aparecen en la serie de novelas analizadas en este estudio son, por lo menos, hermosas. La mitad de las heroínas pertenece a la categoría de bellas, que son aquellas que reflejan una gran belleza física. Otras tres heroínas pertenecen a la categoría de bonitas, que son aquellas que casi poseen una gran belleza física. Solamente tres heroínas pertenecen a la categoría de hermosas, que son las que casi carecen de una gran belleza física, pero que no dejan de tener cierto atractivo y distan muchísimo de ser feas.

También se ha verificado que no hay pícaras estúpidas. Casi todas las heroínas apicaradas que aparecen en este análisis son, por lo menos, normales de inteligencia. Se puede agregar que la mitad de las doce protagonistas demuestra tener una inteligencia excepcional. Entre las pícaras de menor inteligencia, únicamente una, revela cierta carencia alarmante de inteligencia y, sobre todo, de buena suerte.

En cambio, hemos notado que, seis, de las protagonistas analizadas, carecen de una gran mundología apicarada y, sólo cuatro, demuestran tener mucha. Esta carencia de mundología se debe a la falta de un medio ambiente apicarado durante la infancia, o, a la falta de una consejera apropiada durante esta misma época, o, a ambas razones.

Hay cierta correspondencia entre los niveles de belleza, inteligencia y mundología. Cuatro, de entre las seis heroínas apicaradas de gran belleza física, demuestran tener una inteligencia inferior y, seis, de entre estas mismas seis, o sea, todas las de gran belleza física, exhiben una carencia casi total de mundología apropiada. Las heroínas apicaradas que exhiben mucha mundología e inteligencia son de una belleza menos excepcional. Estas parecen ser las pícaras más completas, a pesar de no poseer, precisamente, una gran belleza natural.

Agreguemos, finalmente, que estos factores intrínsecos no pueden ser suficientes para definir a la pícara, puesto que este personaje se mueve constantemente en el mundo exterior, o mejor dicho, en la sociedad. Su manera de obrar en los varios cuadros sociales la define también, y, por otro lado, contribuye a su razón de ser. El retrato, de los que llamamos factores extrínsecos, es el objeto del capítulo siguiente.

II. LAS CUALIDADES EXTRINSECAS: EL RETRATO DEL MEDIO AMBIENTE DE LA PICARA

El medio ambiente amolda la personalidad de la pícara durante toda su vida [1]. Hay varios factores que influyen directamente a crear este medio ambiente apicarado: la herencia genealógica de la pícara, el estado económico de los padres de la pícara, —durante su infancia y adolescencia—, y la clase socioeconómica a la cual pertenece la pícara adulta. En el siguiente apartado pasaremos a la discusión de dichas cualidades extrínsecas.

La herencia genealógica

Esta herencia se presenta precisamente en varias gradaciones, separando las doce protagonistas en tres subdivisiones o categorías, que van de acuerdo con las informaciones genealógicas que aparecen en todas las obras literarias en cuestión. La primera subdivisión revela una genealogía de gran extensión, la segunda es mucho menos extensa, y la tercera carece casi de informes genealógicos.

A. *Genealogía de gran extensión*

La primera subdivisión consta de cuatro heroínas apicaradas en su total. Justina, una de ellas, presenta sus antepasados en cuatro generaciones de individuos semicriminales que salen todos del hampa española [2]. Los padres de Justina son mesoneros de la peor calaña por no decir

[1] Peter N. Dunn: «El individuo y la sociedad en la *Vida del Buscón*», *Bulletin Hispanique,* LII, 1950, pp. 376, 378, 381 y 389.

[2] Guzmán Alvarez: «El amor en la novela picaresca», pp. 36-43.

ladrones. Observemos, pues, lo que opina, la protagonista de *La pícara Justina,* de los mesones y de sus antepasados mesoneros:

> La mayor alabanza que yo hago del mesón es que no es tan malo como el infierno... ¡Oh, mesón, mesón! Eres esponja de bienes, prueba de magnánimos, escuela de discretos, universidad del mundo, margen de varios ríos, purgatorio de bolsas, cueva encantada, espuela de caminantes, desquiladero apacible, vendimia dulce, y por decirlo todo, sois tan dichosos los mesones y mesoneras, que tenéis por abogado a mi buen padre Diego Díez y a mi buena madre, ambos mesoneros (página 737).

Si los mesones son como Justina acaba de describirlos, «purgatorios de bolsas» y «espuela de caminantes», los mesoneros son los únicos culpables y los padres de Justina son los peores entre los peores, o los mejores representantes de esta institución: pues se sabe que el padre cobra demasiado a los huéspedes de su mesón y, a veces, cobra por lo que no vende (p. 738). También se sabe que la madre es extremadamente egoísta, avarienta y que carece, a la vez, de todo buen sentimiento (pp. 741-744). En otras palabras, es un tipo celestinopicaresco que no posee la menor dosis de escrúpulos, pues se congracia con el homicida de su marido el mismo día del velorio y obliga a las hijas a que sean cómplices con el silencio. Notemos lo que afirma Justina:

> Cerramos nuestra puerta, como gente recogida; y aunque quisimos velar al difunto, no pudimos porque el ratiño de Portaalegre [el homicida], en viendo cerrar las puertas, nos convidó a una muy buena cena. Mi madre, como estábamos a puerta cerrada y sin nota, aceptó el convite... y con esto nos obligaron, él con el dinero, y a mi madre con su mandato, a decir a la justicia que nadie le había hecho agravio a nuestro padre ni tocado el pelo de la ropa, y era verdad, que no le tocó el pelo ninguno, porque la parte donde le tocó el medio colemín estaba pelada... (pp. 744-747).

Irónicamente, poco tiempo después de este banquete, la golosa madre muere de una indigestión causada por una longaniza que se le atraganta por lo grande y por lo rápido que la traga (p. 748).

En la segunda generación, el abuelo paterno muere en una refriega por ser hablador: «Murió en Barcelona a la lengua del agua y con su lengua, a lo menos, por su lengua» (p. 732). Y en la tercera y cuarta generaciones, los bisabuelos y tatarabuelos paternos y maternos, no se quedan atrás, puesto que participan plenamente en la vida rufianesca. Explica la protagonista de la obra:

Mi bisabuelo... Una lengua tenía harpada como tordo, una boca grande que algunas veces pensaban que había de voltear... Mi tercer abuelo [tatarabuelo] de parte de padre alcanzó buen siglo... casó con una volteadora, gran oficiada de todas vueltas y larga de tarea... después de un año tísica, murió volando. Su marido no quiso casarse más por no ver volar más mujeres... Los parientes de parte de madre son cristianos más conocidos, que no hay niño que no se acuerde de cuando se quedaron en España... Mi bisabuelo era mascarero, y aun más que carero, que era carísimo... Su mujer, a ratos perdidos, hacía aloja, y por dársela un día a su marido, porque por dársela muy fría de nieve la aloja, le alojó el ánima de esta vida a la otra, que todo es barrio y pared en medio... Mi tatarabuelo materno fue gaitero y tamborillero... No le ahogaba miembo. Con la boca hacía el son al baile, y al del matrimonio con los ojos... Murió en su oficio y su oficio murió en él... (pp. 732-733, 735-736).

Ahora bien, a pesar del humorismo picaresco basado en el doble sentido, se puede notar que Justina sufre los efectos de una herencia genealógica hampesca de carácter multiforme, destacándose: lo mesonil, lo ladronesco, lo lupanario, y lo rufianesco.

La segunda heroína de genealogía extensa es la protagonista de *La niña de los embustes,* conocida por Teresa de Manzanares. La genealogía comienza con el abuelo materno y termina con el nacimiento de Teresa cerca del río Manzanares. Apunta la narradora a propósito:

Mi abuelo no era bien tinto en gallego, sino de los asomados al reino; quiero decir de los ratiños, que ni son de Dios ni del diablo; que como en los bizcos está dudoso el saber a qué parte miran, así él, ni bien era cristiano ni dejaba de serlo... vino a Cacabelos con una partida de vacas (a una feria que allí se hace cada año), y halló repastando otra, cuya guarda era Dominga Moriño, mi señora abuela (página 1344).

Aquí se añade a este material novelístico una detalladísima descripción de la abuela. Leamos estas líneas:

Era doncella en cabello, por falta de albanega, Dominga, y en pocos coloquios tuvo buen provecho mi abuelo en su pretensión, con que se vino a formar de aquella calabriada mi señora madre... Llegóse el noveno mes y salió a luz el valor de Galicia y la gala de Cacabelos, que fue mi madre... Crióse la muchacha en todo lo que acostumbran allá a los hijos de la gente común; paladeáronla con ajos y vinos, y salió una de su linaje; fue la primera moza que dio el ser a los pliegues de las sayas, pues lo que en otros parecía grosería, en ella era perfección. Usó poco el calzarse, aunque tal vez se traen botas en aquella tierra... A los quince años de su edad... murieron sus padres en una noche. Quedó la mozuela niña huérfana y sin hacienda, con que fue fuerza ampararse de una hermana de su madre que era mesonera en el mismo lugar (p. 1344).

Demás está decir que, en estos fragmentos citados, se aprecia una detalladísima descripción de los antepasados de Teresa de Manzanares, y al mismo tiempo, es notable observar la minuciosa explicación, en particular, de los antepasados femeninos: la abuela y la madre. Conviene añadir que esta heroína apicarada es la única que presenta una genealogía materna de tan gran extensión [3]. Esto se comprueba en el siguiente pasaje cuando Catalina, la madre de Teresa de Manzanares, se traslada a Madrid y allí conoce a su futuro marido. Compárese esta cita paterna con las anteriores que tratan de la ascendencia femenina. Explica la narradora a propósito:

> ... éste era natural de Gascuña, en Francia, a quien en nuestra España llamamos «gabachos». Había sido ocupado en el oficio de buhonero...
>
> Era el gabacho de buena presencia y estábale inclinada Catalina... la hija de mi madre (que soy yo) se forjó en las riberas del señor Manzanares... (pp. 1348 y 1350).

Conviene notarse, también, la evolución geofísica y socioeconómica de esta genealogía de Teresa de Manzanares. La abuela Dominga es pastora en Cacabelos en Galicia, la hija Catalina es mesonera en Cacabelos y después en Madrid, y por fin Teresa de Manzanares es mesonera en Madrid durante su infancia. Definitivamente, se aprecia un mejoramiento socioeconómico en la genealogía materna de la heroína Teresa, y tal evolución va a continuar en el personaje apicarado hasta elevarlo a dama principal y, finalmente, a mujer de un rico mercader como vamos a observar más adelante [4]. Es obvio que, la presentación de esta genealogía sirve como punto de referencia y de anticipación al futuro ascenso socioeconómico.

Rufina, por otro lado, posee una genealogía menos extensa que las dos anteriores por presentar exclusivamente una sola generación, pero mucho más detallada por provenir de una obra precedente del autor [5]. El padre de Rufina es el pícaro Trapaza. La madre es Estefanía, mujer

---

[3] Thomas Hanrahan: *op. cit.,* pp. 231-234, 245. También Elena, la figura central de *La hija de Celestina,* ofrece una genealogía materna extensa.

[4] Véase el apartado que trata del mejoramiento socioeconómico de la pícara.

[5] Alonso de Castillo Solórzano: «*Aventuras del bachiller Trapaza*», publicada en *La novela picaresca española*, de Angel Valbuena y Prat, Madrid: Aguilar, 1966.

de gran belleza y extremadamente vengativa. Explica ahora el narrador de *La garduña de Sevilla* el origen de su protagonista:

> ... fue moza libre y liviana, hija de padres que, cuando le faltaran a su crianza, eran de tales costumbres que no enmendaran las depravadas que su hija tenía. Salió muy conforme a sus progenitores, con inclinación traviesa, con libertad demasiada y con despejo atrevido. Corrió en su juventud con desenfrenada osadía, dada a tan proterva inclinación, que no había bolsa reculsa ni caudal guardado... (p. 1527).

Y agrega el narrador acerca de los padres de la protagonista en *Aventuras del bachiller Trapaza,* la obra anterior donde se inicia la acción novelística de estos personajes apicarados:

> Siempre quiso bien Estefanía a Trapaza, y si se vino de su compañía fue por ver que la desestimó en poner las manos en ella en presencia de otros, y aquel le obligó a ejecutar lo que después sintió haber hecho...
>
> Nuestro infelice Trapaza, con los azotes menos, salió en la cadena de los galeotes a Toledo, y de allí a Sevilla y Puerto de Santa María, donde estaban las galeras de España juntas; en una de ellas entró a servir a su Majestad nuestro Trapaza, sin sueldo (pp. 1515 y 1525).

El padre de la protagonista es un pícaro que consume todo lo que toca. Comenta el narrador a propósito:

> Trapaza, que era incorregible, y si había vivido hasta allí con quietud había sido por las amonestaciones de su esposa y por verse ya padre de una hija, la cual se criaba con mucho regalo de su madre, hasta los ocho años de su edad, en que Trapaza no tuvo ocupación en Sevilla, por su negligencia...
>
> La pena de verse pobre y con disgusto puso a Estefanía en una cama, donde al cabo de un año la llevó Dios... Ella tuvo muy buena muerte habiéndola dado Trapaza muy mala vida... (p. 1529).

Demás está decir que, la infanta Rufina crece en un ambiente malsano que es controlado por el juego, la bebida y los pleitos de los padres, lo cual produce una desatención total de Rufina después que muere la madre: la huérfana se cría sola y a la buena de Dios (p. 1530).

La última protagonista apicarada de este grupo, revela una genealogía de carácter celestinopicaresco por parte de la madre y de la abuela, y ambas son copias adulteradas de la creación de Fernando Rojas [6]. Observemos lo que dice Elena de su madre y de su abuela:

---

[6] Ernest H. Kilgore Hillard: *op. cit.,* pp. 352-358.

Ya ella [la madre de Elena] había mudado de oficio, porque volviéndosele a representar en la memoria ciertas licciones *[sic]* que la dio su madre— [la abuela de Elena] que fue doctísima mujer en el arte de convocar gente del otro mundo, a cuya menor voz rodaba todo el infierno, donde llegó a tanta estimación que no se tenía por buen diablo el que no alcanzaba su privanza— [la madre de Elena] empezó por aquella senda; y como le venía de casta, hallándose en pocos días tan aprovechada que no trocara su ocupación por doscientas mil de juro, porque creció con tanta prisa este buen nombre que, antes que yo pudiese roer una corteza de pan... tenía en su estudio más visitas de príncipes y personas de grave calidad... defendía causas de tal suerte que en el tribunal del Amor no se determinaba negocio sin su asistencia... y sobre todas las gracias, tenía la mejor mano para aderezar doncellas que se conocía en muchas leguas, fuera de que las medicinas que aplicaba para semejantes heridas estaban aprobadas por autores tan graves, que su doctrina no se despreciaba como vulgar. Y hacía en esto una sutileza extraña: que adobaba mejor a la desdichada que llegaba a su poder segunda vez, que cuando vino la primera... (p. 900).

Y para aquellos que no han comprendido todavía de dónde proviene esta influencia literaria, el narrador de *La hija de Celestina* lo manifiesta directamente al decir que «hubo año y aún años, que pasaron más caros los virgos contrahechos de su mano que los naturales: tan bien se hallaban con ellos los mercaderes de este gusto! ... Como el pueblo llegó a conocer sus méritos, quiso honralla con título digno de sus hazañas, y así la llamaron todos en voz común "Celestina", segunda de este nombre» (p. 900). Debido a ello, no es sorprendente que la adolescente Elena, a la temparana edad de trece años, se lance a la prostitución cortesana alcahuetada por la bien conocida segunda «Celestina» (p. 901).

B. *Genealogía mucho menos extensa*

Esta categoría consta de cuatro heroínas literarias. Flora, la protagonista de *La sabia Flora Malsabidilla,* es la primera de este grupo. El padre es gitano pobre del sur de España que por mal nombre llaman «ave de rapiña», y por eso muere ahorcado. La madre es una embustera de gran belleza física. Esta belleza le proporciona una manera de vivir más holgada y cómoda al practicar la prostitución. No hay ambiente mesonil en esta heroína como tampoco lo hay en Cristina, la segunda heroína apicarada de esta categoría. Se sabe que Cristina, la protagonista de *El coche mendigón,* es de padres moros, lo cual revela una posición socialmente baja por pertenecer a una minoría racial mal vista en la España de esta época [7]. La madre pierde el primer marido y encuentra un amante lusitano que la mantiene a ella y a la hija hasta que el personaje muere en un naufragio. Cristina hereda algún dinerillo del padrastro y un coche de un pariente cercano (p. 1365).

Otras dos heroínas de esta categoría son las hermanas Luisa y Feliciana, protagonistas de *Las harpías en Madrid.* Sólo se sabe del padre que muere en un naufragio cerca de La Habana, dejando pobre y desamparada a la viuda, doña Teodora, que para apicararse lo antes posible necesita recurrir a una vieja «de agudo ingenio y mayor experiencia» (página 8). Doña Teodora, que aprende bien las lecciones de la vieja, se propone resolver el problema económico en que se encuentra apicarándose mucho y en bastante poco tiempo.

C. *Genealogía de poquísima extensión*

La primera heroína de esta tercera subdivisión es Teodora, la protagonista de *La dama del perro muerto,* de la cual sólo sabemos que su padre es mulato y su madre es morisca, pero ningún otro detalle de sus antepasados aparece en la obra. Ahora bien, Teresica, la segunda heroína de esta tercera subdivisión, no presenta ninguna información genealógica. Solamente se sabe de la protagonista de *El escarmiento del viejo verde* y de *La niña de los embustes,* que es pobre y que una vieja celestinesca la saca de la cocina (p. 106).

Y, finalmente, las hermanas Constanza y Dorotea, las otras dos «harpías», solamente presentan una simple descripción de la madre, doña Estefanía: «Tenía autorizada presencia y dábanle más autoridad unos anteojos que suplían cortedades de vista» (p. 15). Y más tarde, durante las estafas que cometen las hijas, se observa la intervención de parte de este personaje de «autorizada presencia».

Como hemos observado, cuatro de las heroínas apicaradas exhiben una genealogía de grandísima extensión, llegando, en el caso de Justina,

[7] J. A. van Praag: *op. cit.,* p. 67. Además, consúltense: Guzmán Alvarez: «El amor en la novela picaresca», p. 136, y Peter N. Dunn: *Castillo Solórzano and the Decline of the Spanish Novel,* Oxford: Basil and Blackwell, 1952, p. 115.

hasta los tatarabuelos maternos y paternos. Otras cuatro heroínas apicaradas muestran una genealogía mucho menos extensa y, por fin, las cuatro últimas no ofrecen suficiente información genealógica. No obstante esta desuniformidad en la información genealógica de las doce heroínas apicaradas, se pueden observar ciertas características comunes en casi todas, exceptuando las cuatro «harpías». Pues, en definitiva, podemos asegurar que la pícara seiscentista posee una genealogía de clase socialmente baja o hampesca, salvo las cuatro excepciones mencionadas. Pero, aún así, estas cuatro excepciones exhiben una influencia hampesca indirecta por medio de la enseñanza celestinopicaresca que reciben de la vieja de «agudo ingenio». Por lo tanto, hay que concluir afirmando que todas las heroínas apicaradas de este estudio demuestran tener de una manera u otra una genealogía compuesta de antepasados, bien sean hampescos, o bien sean celestinopicarescos, o bien sean desafortunados económicamente. No hay picaresca femenina si no hay realmente una necesidad económica que la estimule [8]. A pesar de que las «harpías» no muestren una genealogía socialmente baja, sí se llega a perfilar la influencia de la falta de recursos económicos y de la presencia de la alcahueta vieja de «agudo ingenio», que, sin duda, posee unos antepasados que se remontan literalmente a la creación de Fernando de Rojas.

Agreguemos que, este fondo hampesco refleja varias características sociales y étnicas que matizan y crean la personalidad de la pícara literaria: uno profesional, destaca la alcahuetería, la rufianería y la prostitución; y otro, enteramente racial, manifiesta dos grupos étnicos de minoría en España durante el siglo XVII: el moro y el negro.

El estado económico de los padres de la pícara infante

Todas las protagonistas apicaradas de este análisis pasan por un período durante el cual sufren cierta limitación económica mientras que están bajo la tutela de los padres. Esta pobreza que nunca llega al hambre, porque la pícara aún cuando es muy joven sabe procurarse siempre

[8] Este aspecto económico va a ser tema del próximo apartado. Nótese que estoy en desacuerdo con los críticos. Véase la introducción.

un plato de comida, se pudiera dividir en dos categorías de acuerdo con el grado de limitación económica: de más penuria y de menos penuria.

A. *De más penuria*

Se puede notar el estado de pobreza de Flora, en *La sabia Flora Malsabidilla,* por medio de las descripciones que la pícara establece al hablar de los padres:

> Mi madre murió moza, porque fue mujer de extraordinaria penitencia, andaba descalza, dormía en el suelo, y muchas veces recibía tan grandes disciplinas, que llegaban los azotes a doscientos; y una vez que se dobló este número dio su alma a su Criador: fue muy perseguida en el mundo, en quien tuvo para sí mal dicha, con ser ella para todos la misma buenaventura (p. 314).

El tono bufonesco con el cual se presenta este pasaje no oscurece la realidad del estado económico de la madre de Flora; pero, a pesar del doble sentido, nos damos cuenta que esta pobreza llega al límite establecido anteriormente al calificarla «de más penuria». No obstante esta gran limitación económica, no existe ninguna mención específica al hambre. Asimismo, la descripción que viene del padre de la protagonista va a revelar una pobreza evidente, pero mucho menos patética que la de la madre; sin embargo, va a seguir el mismo tono bufonesco que acabamos de observar anteriormente. Leamos lo siguiente:

> Flora.—... mi padre antes fue más feroz que hermoso... y fui yo tan desgraciada, que por no vivir un año más dejó de ser señor de título.
> Camila.—Que bien le ha dicho que si viviera su padre un año más llegara a ser Conde de Gitanos... (p. 313).

Por tanto, y a pesar del tono más que jocoso que emplea Flora al describir las cualidades y la situación económica del padre, el hecho de ser «Conde de Gitanos», en serio o en burla, y el hecho de haber muerto durante la infancia de la protagonista apicarada, revela claramente la pobreza de esta época. Es evidente, pues, que Flora tiene una infancia casi indigente y este estado económico no mejora radicalmente hasta que la joven heroína no se lanza a la prostitución adolescente como vamos a observar en la tercera parte de este capítulo.

En cambio, en el caso de Teresa de Manzanares se sabe que nace en un mesón madrileño y que los padres son los dueños. El estado económico de estos mesoneros es bastante floreciente durante los primeros siete años (p. 1350), pero durante la segunda infancia de Teresa, el padre muere y la madre Catalina deja que el mesón corra por su cuenta, lo cual produce un decaimiento evidente en el estado económico. Al morir la madre, Teresa queda sin herencia y en la calle. Dice la protagonista de *La niña de los embustes*:

> Cayó mi madre enferma, y agravósele la enfermedad de modo, que en ocho días acabó con su vida, dejándome huérfana, de edad en diez años, y pobre, que era lo peor, porque en pagar los gastos del entierro y el alquiler de la casa (que lo debía de un año) se consumió casi todo el menaje en ella... Hallé amparo en aquellas dos hermanas, mis maestras de labor y recibiéronme en su casa pasando a ella lo poco que había quedado de la de mis padres (p. 1351).

Desde este momento que Teresa se halla huérfana de padres y que su estado económico no puede ser peor, es posible asegurar que la joven protagonista tiene un período bien difícil económicamente; pero debemos recordar que se escapa de la indigencia hambrienta por la intervención de las maestras de labor.

Rufina y Teresica pertenecen también a esta primera categoría de la pobreza. El estado económico de Rufina, la protagonista de *La garduña de Sevilla,* es bastante desahogado durante su nacimiento y primeros años de vida; pero, apenas la madre Estefanía se une de nuevo con el incorregible Trapaza, el bienestar económico de la protagonista entra en una nueva fase, aparece una decadencia progresiva (pp. 1526-1532), llegando hasta tal punto que casi se podría llamar indigencia, ocasionando la muerte de la ya agobiada enferma. Señala el narrador que «La pena de verse pobre y con disgustos puso a Estefanía en una cama, donde al cabo de un año la llevó Dios... su entierro fue muy pobre, no teniendo Trapaza con que la enterrar» (pp. 1529-1530).

Ahora bien, por lo que respecta a Teresica, la protagonista de *El escarmiento del viejo verde* y *La niña de los embustes,* solamente podemos señalar la pobreza de esta heroína durante su adolescencia. Esto se debe a que faltan datos precisos de la época precedente cuando Teresica está bajo la tutela de los padres. Nótese lo que afirma el narrador durante esta época, pasada la tutela materna:

[Emerenciana] llevó en su compañía una mozuela [Teresica] de muy buena cara, a quien pocos días antes, sacándola de entre los azadores y sartenes y pasándola al estrado prohijó y adoptó por hija, vistiéndola de un traje honesto y de muy poca costa; pero tan lucido y aseado (pp. 106-107).

Se observa, pues, que este período de penuria adolescente no dura mucho tiempo ni hay alusiones que reflejen una indigencia excesiva. Además, este estado de pobreza desaparece apenas la astuta vieja y tutora coge a Teresica de la mano: «vistiéndola de un traje honesto y de poca costa; pero tan lucido y aseado». Esta heroína que se aplicará en seguida, no tarda tampoco en mejorar su fortuna al seguir los consejos de la taimada vieja, saliendo de la indigencia para siempre.

No existe ninguna alusión directa a la pobreza de los padres de Teodora en *La dama del perro muerto,* pero por su evidente origen mixto de árabe, negro y blanco, se acusa cierta limitación económica durante la infancia y adolescencia del personaje. Observemos cómo lo explica el narrador: «Y esto lo afirmó tanto que quien no supiera que era hija de un mulato y de una morisca, pensara que sus padres eran tan godos en sangre...» (p. 74).

B. *De menos penuria*

En esta segunda categoría se encuentran siete heroínas que, por una razón u otra, como veremos más adelante, logran escapar una penuria severa durante la infancia o adolescencia mientras que están bajo la tutela de los padres. En el caso de Elena, esta falta de penuria severa se debe a varias razones: no es huérfana como Flora, Teresa de Manzanares, Rufina, Teresica, Teodora y otras; la madre tiene un oficio lucrativo, la alcahuetería, además de tener otros complementarios y suplementarios como lo son la curandería y la prostitución; pero, sobre todo, la madre se ocupa especialmente de su única hija, Elena. Sin embargo, a pesar de existir cierto bienestar económico en la infancia y la adolescencia de Elena, la protagonista de *La hija de Celestina,* se lanza a la prostitución a una temprana edad, más bien impulsada por los consejos celestinescos de la madre que por una necesidad económica imperante. Apunta la narradora a propósito:

Ellas me cortaban de vestir aprisa, y mucho más los sastres; porque como mi madre se resolviese a abrir tienda —que al fin se determinó antes que yo cumpliese los catorce años de mi edad—... y fueron tantas las que conmigo usaron, que ya me faltaban cofres para los vestidos y escritorios para las joyas (p. 901).

Como es evidente, la pícara Elena mejora económicamente al entrar en la prostitución. Sin embargo, no es el hambre la fuerza que la impulsa [9].

Por otro lado, no se conocen muchos detalles sobre el estado económico de los padres de Luisa y Feliciana, dos de las «harpías» e hijas de doña Teodora. Obtenemos la siguiente información: «eran dos damas que, por faltarles su padre (que murió en la carrera de las Indias), quedaron huérfanas, en la compañía de su madre que, viuda y pobre, perdió cerca de la Habana marido y hacienda a un tiempo» (p. 7). Por este breve pasaje se puede deducir que esta familia ha poseído una posición económica bastante acomodada pero la desgracia marítima elimina este bienestar. Apunta el narrador acerca del estado económico de la madre viuda:

Tenía algunas deudas en Sevilla, de empréstitos que le habían hecho con la esperanza de la venida de su esposo, y viendo que si las pagaba con el poco caudalejo que tenía, se quedaban sin comer, determinó mudarse de tierra, por mudar de ventura (pp. 7-8).

Este es el punto económicamente crítico en la vida de Luisa y Feliciana. También conviene señalar que este período de penuria no dura mucho porque ambas figuras femeninas remedian la situación yéndose para Madrid y lanzándose al picarismo cortesano.

Se considera que el estado económico de Constanza y Dorotea, bajo la tutela de la madre, es muy similar al de las otras dos «harpías». No hay datos precisos que aseguren una diferencia evidente entre las dos hijas de doña Teodora y las otras dos de doña Estefanía en la misma obra, *Las harpías en Madrid*. Por lo tanto, debemos presumir una coincidencia en el estado económico. Ambas madres carecen de medios para proporcionarles a las hijas un buen matrimonio, a no ser que se procuren una dote sin escrúpulos morales. Y es precisamente esta penuria relativa lo que estimula las estafas picarescas que se presencian en la novela [10].

---

[9] J. A. van Praag: *op. cit.*, p. 67.
[10] *Ibíd.*, pp. 66-67.

Por otro lado, conviene aclarar el caso de Justina, la próxima heroína de este grupo, pues a pesar de que a través de la narración se dan informes detallados de una parentela que asciende a cuatro generaciones maternas y paternas, hay pocos detalles de la protagonista durante su infancia y adolescencia. La obra comienza cuando la figura central de *La pícara Justina* ha pasado ya la pubertad. No obstante esto, hay una alusión a esta época de la postadolescencia que pudiera explicar indirectamente el estado económico de los padres durante la infancia de la heroína apicarada. Nos referimos a lo que dice Justina del oficio de sus padres:

> Verdad es que no asentó de todo punto el mesón hasta que nos vio a sus hijas buenas mozas y recias para servir, que un mesón muele los lomos a una mujer si no hay quien la ayude a llevar la carga. El día que asentó el mesón éramos tres hermanas, buenas mozas y de buen fregado, otras tres gracias (p. 737).

Por consiguiente, hay que deducir que el estado económico de los padres mejora al salir la protagonista de la infancia, lo cual implica cierta estrechez económica durante esta época. Puesto que el oficio de los padres es de mesoneros, resulta difícil concebir que la familia de mesoneros pase hambre.

También llama la atención Cristina, la protagonista de *El coche mendigón,* que a pesar de quedar huérfana durante su infancia, no parece pasar hambre. La madre es de extraordinaria belleza y siempre logra hallar un benefactor que la ayuda a permanecer en buena situación económica. Nótese como lo explica el narrador:

> [la madre] aunque en color mulata, la perfección de las facciones la hizo hermosa... Enriqueció con brevedad y retirose del trato; porque las salteadores *[sic]* de amor peligran con la perseverancia, y suelen morir ahorcadas de su necesidad... se criava acá en la tierra, en braços de la venerable Marí Gómez su hija Christina alimentada del portugués hasta que [el padrasto] ... baxó a tener sepulcro en el vientre de una vallena *[sic]*... La infeliz Marí Gómez lloró su duplicada viudez... Cristina nació... y por mayor desdicha perdió a su madre antes de los doze, que la dexó acomodada con una hazienda bastante a sustentar una modesta medianía *[sic]* (páginas 361-363).

En el pasaje antedicho no hay alusión a dificultades económicas en el caso de Cristina. La madre, Marí Gómez, al parecer, logra escapar momentos de gran limitación económica. Sin embargo, el hecho de quedar huérfana a tan temprana edad sugiere ciertas dificultades en la vida de la preadolescente huérfana: «entré a servir de doncella laboriosa a cierta señora ilustre con tal condición: que la avía [*sic*] de pagar sus salarios en monedas de coche, llevándola en él a todas las fiestas y recozijos [*sic*] públicos que se ofreciesse [*sic*]» (p. 363). He aquí todo lo que se sabe del estado económico de Cristina durante su infancia y bajo la tutela de los padres.

Sin duda alguna, hemos podido comprobar que entre las doce heroínas apicaradas de este estudio, cinco pasan por un período de penuria bastante difícil y, las otras siete, pasan por uno mucho menos difícil. Entre las cinco que pasan un período de penuria bastante difícil, tres acusan ser huérfanas y, una, Teresa de Manzanares, es huérfana de padre y madre durante su infancia. Otras dos, Teresica y Teodora, acusan un origen muy humilde pero faltan los datos apropiados para detallar estas circunstancias vitales. Sin embargo, sabemos que Teresica y Teodora sufren una gran pobreza económica al ser descubiertas en un estado desamparado y entre extraños al principio del material novelístico.

También hemos comprobado que, entre las siete heroínas apicaradas que pasan un período de penuria menos difícil y más limitado o más breve, ninguna es huérfana excepto Cristina que hereda de la madre bastante dinero. Este factor, el de la horfandad, parece ser el elemento más determinante en el estado económico de la pícara seiscentista. Debemos añadir que, en ningún fragmento novelístico, aparece el hambre. Siempre hay algo o alguien —la belleza, la astucia, o, la madre, la tutora, la amiga, pero nunca el padre— que socorre a estas heroínas. El hecho de ser mujeres en una sociedad cristiana, quizás, tenga mucho significado. El hecho de que el padre, o por la muerte o por otras circunstancias, abandona siempre el hogar de estas heroínas, es de suma importancia también. Y es por eso que se puede asegurar que, esta lucha vital de la pícara seiscentista, es una lucha de personajes femeninos exclusivamente. Aquí sólo hay heroínas sin héroes.

La clase socioeconómica de la pícara adulta

Vamos a determinar la clase socioeconómica a la cual pertenecen las doce protagonistas de este análisis, investigando tres factores básicos:

la educación socioeconómica de la pícara durante su infancia y adolescencia, los oficios socioeconómicos que desempeñan o las maneras que usan estas pícaras para ganarse la vida, y por último, el estado socioeconómico de la pícara adulta al final de las obras.

A. *La educación socioeconómica de la pícara infante y adolescente*

Por educación socioeconómica se entiende una sola cosa, el entrenamiento práctico que reciben estas protagonistas durante la infancia y adolescencia. Por lo tanto, esta educación, que puede ser transmitida por los padres o tutores por medio de consejos o de ejemplos, es completamente práctica y utilitaria. Y a la vez, dicha educación se compone de tres fondos diferentes: el mesonil, el celestinesco y el normal o desapicarado.

1. Educación mesonil

Dos heroínas, Justina y Teresa de Manzanares, demuestran tener un entrenamiento que es producto de experiencias y consejos mesoniles. Es el padre de Justina el que se ocupa de instruir a las hijas en cuestiones de gobierno y de economía mesoniles. Se explica a propósito en la obra *La pícara Justina:*

> —Hijas, la carta del mesón y la cédula de la postura pública de la cebada, esté siempre alta y firme; no haya junto a ella arca, banco, silla, escabel ni otro cualquier estribadero o arrimadero, porque no se atreva ningún bellaco a hacer cuenta sin la huéspeda y examinar y cotejar por el arancel si yo relanzo mi hacienda... La cebada no se mida al ojo, antes el arca en que estuviere esté en otro aposento más adentro del portal y sea oscuro, y al medir, siempre la que midiere, vuelva barras a quien la pidiere recado... En año de carestía, ya sabéis que la cebada, si la dais un hervorcito, crece mucho y pierde poco, y aun es de provecho para las bestias que andan lastimadas... Con los huéspedes menos palabras que gracias, más donaire que respuestas... siempre tierra en medio, que la mujer es cosa para de lejos, que es como figura de cera, como pintura al temple... polvos de clavetes de azucena, que en tocándolas se descomponen, deslustran y deshacen (páginas 738-739).

Como se puede notar en este manifiesto mesonil, el padre de Justina declara categóricamente la doctrina amoral y el propósito apicarado de los mesoneros. Y, más adelante, bien lo afirma ya la misma Justina cuando alaba los poderes del mesón: «La mayor alabanza que yo hago del mesón es que no es tan malo como el infierno, porque el infierno tiene las almas por fuerza y para siempre... pero el mesón, cuando mucho es purgatorio de bolsas y en purgándose las gentes, salen luego de allí y aun los hace salir» (p. 737).

Justina aprende las buenas lecciones del padre y aprecia los buenos ejemplos y consejos de la madre: «era mi madre un águila, pues aclaró mis tiernos ojos para considerar la caza desde lejos y saberla sacar, aunque más encubierta estuviese, en un mar de dificultades» (p. 743). Por consiguiente, la educación que recibe Justina es básicamente mesonil, y es por ello que, el mesón, aparece como «escuela de discretos, universidad del mundo» (p. 737).

Por lo que respecta a Teresa de Manzanares, la protagonista de *La niña de los embustes,* sabemos que no recibe lecciones de los padres como Justina pero sí sabemos lo que hace la heroína apicarada a una temprana edad. He aquí cómo lo explica la narradora:

> Ya hacía mis mandados trayendo vino para los huéspedes y otras cosas de una tienda vecina a nuestra casa, imprimiéndoseme lo de la risa como carácter que no se me borró en toda la vida (p. 1350).

Es evidente que, el mesón, deja huella en la mozuela de cinco o seis años de edad y sigue ejerciendo una gran influencia en el desarrollo de Teresa de Manzanares, pues al quedar huérfana de padre, la protagonista se convierte en una ayudante más adelantada: «Quedó mi madre viuda y en su casa, con algún caudalejo, con que prosiguió en tener casa de posadas... siempre tenía una criada y a mí que le servía de mandadillos menudos» (p. 1350). Teresa aprende el manejo del mesón a través de sus propias experiencias vitales: es una gran observadora de la vida.

Además de estas experiencias que recibe Teresa de Manzanares durante la infancia, su educación no se limita exclusivamente a la mundología mesonil, pues toma clases de labor en casa de unas maestras viudas, demostrando, al mismo tiempo, su breve aprendizaje: «allí acudí a labrar, aventajando en esto a todas cuantas condiscípulas tenía en menos de un año, cosa que admiraba a las maestras» (p. 1350).

A pesar de aprender este oficio casero con gran facilidad y entusiasmo, Teresa de Manzanares no lo vuelve a mencionar otra vez. Aprende otro que se adapta más a su personalidad, desempeñándolo después varias veces y con éxito lucrativo. Este oficio es el de peluquera: «Atenta estuve mirando del modo que se forjaba y cómo se componía y rizaba el cabello...» (p. 1357). Pues bien, como acabamos de notar, Teresa obtiene una educación más completa y práctica que Justina, lo cual le va a ser de gran utilidad en el desenvolvimiento de su vida picaresca.

2. Educación celestinesca

Cuatro protagonistas de este estudio reciben una educación primaria de carácter celestinesco por provenir de una instructora —madre, tutora o guía— que demuestra poseer un gran conocimiento de la prostitución, de la alcahuetería y del erotismo apicarado en general [11].

Elena, la protagonista de *La hija de Celestina,* recibe lecciones de la madre directamente y las aprende tan bien que la adolescente es ya una prostituta alcahuetada y pública a los trece años de edad [12]. El personaje lo explica de esta manera: «porque como mi madre se resolviese a abrir tienda —que al fin se determinó antes que yo cumpliese los catorce años de mi edad— no hubo quien no quisiese alcanzar un bocado... Tres veces fui vendida por virgen... Temióse mi madre de la justicia y quiso mudar de frontera. Partímonos a Sevilla...» (p. 901).

También Flora, la figura central de *La sabia Flora Malsabidilla,* recibe la educación celestinesca, al parecer, de la madre, y ejerce la prostitución a una temprana edad. Fijémonos cómo lo explica Flora en las líneas siguientes: «Dejéme llevar luego de la travesura golosa de algunos lucidos mozuelos, y hecha pasta común, a todos serví con mis deleites, de todos recibí satisfacciones» (p. 301).

En cambio, el caso de Rufina es totalmente diferente, pues a pesar

---

[11] *Idem.* También véase Adolfo Bonilla y San Martín: «Antecedentes del tipo celestinesco en la literatura latina», *Revue Hispanique,* XV, 1906, pp. 372-377.

[12] No obstante el acierto del erudito J. A. van Praag en 1936 cuando publica su corto artículo: «La pícara en la literatura española», no todo lo que comenta es cierto pues nos afirma que: «La pícara no es prostituta ni menos alcahueta, aunque posible es que llegando a vieja lo sea» (p. 72). Se equivoca el crítico en esta cuestión, pues no solamente Elena es prostituta a una temprana edad, sino que también lo es Flora y otras, como vamos a notar en este apartado.

de que la protagonista de *La garduña de Sevilla,* queda huérfana de madre de muy joven, recibe de su padre una educación apicarada por medio de ejemplos rufianescos y, sobre todo, por medio de la influencia que ejercen ciertas ausencias calculadas paternas. Estas ausencias ofrecen a Rufina la oportunidad de realizar lo que se le antoja después que los ejemplos rufianescos del padre han formado ya una personalidad apicarada en el personaje. Observemos lo que afirma el narrador en este caso:

> Con las ausencias que hacía de su casa Trapaza comenzó su hija a tener la libertad para dejarse ver a la ventana, y ser vista, de suerte que a la fama de su hermosura... Bien lo conocía su padre; mas aunque pudiera atajarlo con sus reprensiones, viéndose necesitado y a su hija hermosa, halló que para reparo de su necesidad no había más próximo remedio que hallar un novio rico; esto era lo más honesto que pensaba, dejándole a su hija el libre albedrío para buscársele ella (página 1530).

Por otro lado, Teresica, en *El escarmiento del viejo verde* y en *La niña de los embustes,* recibe su amaestramiento celestinesco de una tutora suya, doña Emerenciana, y prueba ser tan buena discípula que pronto iguala y aún excede la habilidad de su maestra. Precisa indicar que todas aprenden por medios diferentes la dura lección de la vida y la manera de cómo defenderse de ella para sobrevivir y mejorarse.

3. Educación normal o desapicaracada

En esta tercera categoría incluimos seis personajes que no demuestran tener un entrenamiento ni de carácter mesonil ni de carácter celestinesco. No obstante esta carencia evidente de entrenamiento apicarado, estos personajes entran en contacto con el mundo femeninopicaresco por una necesidad económica momentánea que las impulsa irremediablemente.

Feliciana y Luisa, dos de las «harpías», reciben una educación normal de damas de mediana posición social, pero por causas imprevistas pierden este estado de bienestar socioeconómico. Así, por lo menos, lo indica el narrador: «... dos hermosos sujetos: estos eran dos damas que, por faltarles su padre (que murió en la carrera de las Indias), quedaron huérfanas, en la compañía de su madre...» (p. 7). Nótese cómo el propio narrador las califica diciendo que eran «dos damas» y, por lo tanto, es obvio que, dichas hermanas, carecen del entrenamiento típicamente picaresco puesto que no provienen del hampa española [13].

Sin embargo, el caso de Constanza y Dorotea, las otras dos «harpías», que al parecer es similar por reflejar también una falta de entrenamiento apicarado, presenta algo nuevo: la carencia de informes pertinentes. Solamente existe un rasgo extremadamente vago y lacónico (p. 17). Y, finalmente, el caso de las otras dos heroínas, Teodora y Cristina, aunque bastante similar a los anteriores por la falta de entrenamiento apicarado, sigue progresivamente esta disminución en general.

Lógico corolario de lo anterior es que, la educación socioeconómica de la pícara seiscentista depende del entrenamiento práctico que recibe esta heroína apicarada durante un período formativo y de desarrollo, como lo son: la infancia y la adolescencia. Hemos comprobado que estas protagonistas reciben dicha educación utilitaria y aplicada de los padres, tutores y guías celestinopicarescos. Dos heroínas, Justina y Teresa, se crían en mesones y aprenden directamente de los padres de una forma práctica. Cuatro heroínas, Elena, Flora, Rufina y Teresica, reciben una educación celestinesca. Una, Elena, se cría en una casa de gran ascendencia materna celestinopicaresca; otra, Rufina, se cría en una casa abandonada al descuido del padre borracho y jugador y de la madre pícara pero enferma. El resto de las heroínas acusan recibir una educación normal o desapicarada durante este período formativo y de desarrollo.

Resumiendo, pues, seis de las doce protagonistas que aparecen en este análisis reciben un entrenamiento que las educa en materia apicarada. Las otras seis que restan, no demuestran poseer una educación apicarada, pues, en muchos casos, se debe a la falta de datos informativos, y, en otros, se debe a la falta de verdadera base picaresca. No obstante estas excepciones, hay que tener en cuenta los buenos amaestramientos infantiles y adolescentes de las más conocidas pícaras: Teresa de Manzanares, Teresica, Elena, Justina, Flora y Rufina.

[13] Peter N. Dunn: *Castillo Solórzano and the...*, pp. 119, 122, 125 y 129. Consúltense también Guzmán Alvarez: «El amor en la...», p. 136, y Carlos Blanco Aguinaga: «Cervantes y la picaresca: Notas sobre dos tipos de realismo», *Nueva Revista de Filología Hispánica,* vol. XI, 1957, pp. 313-342. Además véase la introducción de este estudio.

B. *Los oficios y empleos de la pícara*

El segundo factor que puede caracterizar sociológicamente a la pícara es el tipo y número de oficios y empleos que ella usa para ganarse la vida. Este factor social se puede dividir en tres grupos que van de acuerdo con la diversidad y cantidad de modos apicarados que estos personajes emplean: de mucha diversidad, de menos diversidad y de poca diversidad.

1. De mucha diversidad

Teresa de Manzanares y Justina forman el primer grupo, desempeñando como mínimo seis oficios cada una. Teresa empieza su vida apicarada a una edad temprana, antes de la muerte del padre mesonero, cuando ayuda en los quehaceres del mesón. La protagonista de *La niña de los embustes* afirma lo siguiente: «Ya hacía mis mandados trayendo vino para los huéspedes y otras cosas de una tienda vecina a nuestra casa» (p. 1350).

Además de ayudar en el manejo del mesón, la precocidad y gracia de la mozuela Manzanares es tal, que halaga a los huéspedes entreteniéndolos con chistes y chanzonetas. Teresa es ya una comediante de provecho cuando afirma que: «Era un depósito de chanzonetas, un diluvio de chistes con que gustaban de mi los huéspedes, y me las pagaban a dineros, con que mis padres me traían lucida» (p. 1350).

Al quedar huérfana de padres, la mozuela protagonista pasa a servir de criada por tres años en casa de sus maestras de labor. Este empleo de criada se transforma en otro oficio complementario, el de confidente, lo cual la lanza a la vida picaresca femenina: «Era yo el archivo de sus secretos y la llave de su corazón» (p. 1352), afirma el personaje. La preadolescente protagonista no pierde la oportunidad que se le presenta en esta ocasión para hacerse alcahueta de los tres galanes que pretenden los favores de Teodora, hija de una de las dos amas y mucho mayor que la precoz Teresa. Nótese como Teresa logra su objetivo:

> Era yo acariciada de todos tres, deseando trabar conversación y tener conocimiento conmigo. Unos días anduve muy severa con ellos, en las ocasiones que salía fuera de casa por lo necesario para ella; más como era inclinada a la travesura, me pareció traer embelesados a estos tres amantes... [Un galán] Estimó mi consejo y prometió hacerlo, con que me despedí de él, pareciéndome que para primera

visita no había surtido mal, pues salía de ella con ferias, prometiéndome, así del médico como de los otros galanes, más medra a costa de sus bolsas, sin que Teodora lo supiese... Mandóme subirle a su presencia; yo lo hice, reservando empero para mí las medias y ligas que más me contentaron, que fueron unas de nacar y plata. Compúselo bien y subí la caja... (pp. 1352-1353).

Como se puede notar, Teresa de Manzanares desempeña la alcahuetería muy bien, pues demuestra gran desenvoltura y experiencia mundana. Este éxito alcahuetero en una heroína tan joven es algo extraordinario, pues logra superar en todo la diferencia de edad entre ella y Teodora, personaje literario de diez y ocho años.

Otro oficio de gran provecho es la peluquería de moños postizos. Apunta el propio personaje apicarado:

... me enviaron el cabello y algunos regalos por el trabajo que ponía en su servicio y adorno. Yo les hice tres copetes curiosísimos con que se lucieron, y me trujeron nuevas parroquianas a casa. Tanto se fue dilatando la fama de mi habilidad, que ya no nos dábamos manos para nuestro ejercicio (p. 1358).

Es tanto el trabajo que tiene Teresa haciendo moños postizos para las damas cortesanas de Madrid, que necesita la ayuda de Teodora y de las maestras de labor.

En otra ocasión, Teresa exhibe tanta astucia e inteligencia que hasta puede ejercer oficios de los cuales no sabe mucho. A un cliente y futura víctima logra convencer de que ella es capaz de hacerle crecer la barba por ser una gran médica y alquimista de mucha sabiduría:

Vino a verme aquella tarde, y hallándome cercada de alambiques y de hierbas, de raíces y de cajuelas, de piedra y perlas, con que quedó muy contento viendo que no me descuidaba. Prometíame montes de oro si le dejaba barbado; yo se lo aseguraba con tanta certeza como si ya lo estuviera... (p. 1382).

Naturalmente, este supuesto oficio de curandera, derivado de la yerbería y de la brujería de la alcahueta medieval [14], es en realidad una

[14] Michael J. Ruggerio: *op. cit.*, pp. 64-65, y Adolfo Bonilla y San Martín: *op. cit.*, p. 375. Es curioso notar que el erudito Michael J. Ruggerio no acepta esta teoría literaria que enlaza la alcahueta medieval —Celestina— con la pícara seiscentista —Justina, Elena, Teresa, Flora, etc.—. A pesar de que nuestro estudio no se propone probar esta tesis, es obvio, como afirmamos en la introducción y como comprobamos en estas páginas, que la alcahueta medieval es la iniciadora de

máscara astuta que facilita la ejecución de otro oficio, el de burladora o estafadora: ocupación primordial y por excelencia de la pícara seiscentista [15].

Por otro lado, el oficio de cantante lo ejerce en una compañía teatral en excursión por toda España, y es algo nuevo en la picaresca femenina. Este oficio musical y del tablado, de la protagonista de *La niña de los embustes,* tiene sus inicios en el mesón de los padres. Esto se comprueba cuando la protagonista afirma: «era un depósito de chanzonetas, un diluvio de chistes» (p. 1350). Tal empleo teatral, que inicia en el mesón, llega a ser un oficio lucrativo, pues la protagonista agrega:

> A la fama de mi voz, que corrió por la ciudad, se dobló el auditorio en la comedia, y aunque ella fuese de las que traen silbatos y contrapuercos, se salvaba por mí. Esto conoció bien el autor, y así me regalaba con grande cuidado; hacía algunos papeles pequeños en que di muestras de que representaría bien... Toda la compañía quedó admirada de ver cuán bien había representado, y que por esto había durado la comedia ocho días (p. 1396).

Esta experiencia teatral ayuda a Teresa de Manzanares a refinar sus gustos y modales, preparándola para el oficio de alcahueta cortesana disfrazada de dama distinguida y principal (p. 1418).

Como se ha podido observar, todos estos oficios y empleos apicarados de Teresa de Manzanares le ofrecen un gran beneficio monetario a la joven protagonista, lo cual le proporciona, al mismo tiempo, un bienestar que la eleva a una posición socioeconómica bastante alta. Este nuevo estado requiere un cambio de identidad total, y es por eso que, Teresa, se muda el nombre y el apellido, llamándose ahora Doña Laura de Cisneros, y al parecer, dama de noble alcurnia (p. 1912). Dicho cambio de identidad va de acuerdo con la situación, pues al ascender económicamente, la heroína apicarada necesita ascender también socialmente, manteniendo así, el equilibrio requerido de la ya mencionada metamorfosis económica [16].

---

la creación femeninopicaresca. La existencia de la heroína literaria, conocida por «la lozana andaluza», enlaza estas dos creaciones literarias y reafirma lo antedicho. Véase la introducción de este estudio.

[15] Peter N. Dunn: *Castillo Solórzano and the...*, p. 115, y Thomás Hanrahan: *op. cit.*, p. 255.

[16] Coincidimos con los juicios de J. A. van Praag: *op. cit.*, pp. 68, 72-73, con Peter N. Dunn en su libro sobre Castillo Solórzano, pp. 115, 124 y 126-127, y con

También Justina, la figura central de *La pícara Justina,* empieza por el oficio de moza de mesón durante la adolescencia. Véase, por ejemplo, el siguiente pasaje:

Verdad es que no asentó de todo punto el mesón hasta que nos vio a sus hijas buenas mozas y recias para servir... El día que asentó el mesón éramos tres hermanas buenas mozas y de buen gregado, otras tres gracias (p. 737).

Otro oficio que desempeña Justica es el de limosnera. La joven heroína se cubre con un manto viejo y deteriorado para disfrazar su identidad y hermosura. Dice la protagonista: «me senté a la puerta de la iglesia como pobre envergonzante; puse sobre mis rodillas un pañuelo blanco para los que me hubiesen de tirar limosna diesen en el blanco y para señuelo de que pedía y no para los mártires» (p. 813).

La prostitución la ejerce Justina por muy poco tiempo y hace alusión a ella muy inconsecuentemente. Sin embargo, hace de confidente picaresca con experiencia, demostrando mucha gracia y astucia. Esto lo comprobamos cuando la protagonista señala:

Como perrita de falda la hice mil halagos, y como culebra la saqué cuántos secretos tenía, y sin duda la caía en gracia, que es gran cosa entender el trato como yo lo entendía... de mesoneras... No hubo cosa que me escondiese (p. 832).

No se sabe con seguridad si Justina está en el mesón de Sancha Gómez sirviéndole de criada o de amiga de compañía, pero lo que sí es cierto es que esta moza se convierte en médica y enfermera apenas se enferma la pobre Sancha. Este oficio tan complejo no lo desempeña Justina sin la cooperación de otra persona, lo cual le asegura mejores resultados y mayores provechos. Nótese la descripción captada por la protagonista de *La pícara Justina:*

Ofrecióseme decir a Sancha... que aquel hombre que venía conmigo... era el médico de mi lugar, y que era muy inteligente y cursado en semejantes necesidades... Advertile por señas que la hiciese sacar la lengua y la tentase estómago, hígado y espaldas, haciéndola volver y revolver barras por momentos. No hago caso de decirte como nos hizo ver visiones. Sólo digo que a estas tentativas se le aumentó el resfriado, y con él las quejas y deseos de que la curásemos (pp. 835-836).

Thomás Hanrahan: *op. cit.,* p. 246. El estado social de un individuo, enriquecido en las Indias, es un tema importantísimo que requiere un estudio aparte.

Con la ayuda del médico falso, que procura cosas que le proporcionan más placer que provecho monetario: «Toma, hija, esta llave; con ella podréis sacar pan, huevos, estopas, tocino y miel...» (pp. 836-837), Justina logra desempeñar los oficios de enfermera, curandera, secretaria y otros parecidos. También se deben añadir a esta lista de oficios, otros secundarios de ladrona, embustera y burlona (pp. 749, 794, 796, 811, 857 y 862).

2. De menos diversidad

Las otras tres heroínas, Elena, Teresica y Rufina presentan una limitación evidente por lo que respecta la diversidad de empleos apicarados. Elena, la protagonista de *La hija de Celestina,* practica la prostitución durante la adolescencia y le da buen provecho. Nos informa la protagonista de la novela que «no hubo quien no quisiese alcanzar un bocado, obligándome primero con alguna liberalidad; y fueron tantas las que conmigo usaron, que ya me faltaban cofres para los vestidos y escritorios para las joyas» (p. 901). A pesar de que la prostitución en la adolescencia le produce mucho beneficio, Elena cambia de empleo y se dedica a la ejecución de estafas monetarias al morir la madre. Apunta la pícara en esta ocasión:

> ... supe que este caballero estaba tan lejos de poner los ojos en su obligación, que se casaba; y así, vine con la mayor diligencia que he podido a dar parte a vuestra merced, para que antes que salga desta pieza, me dé para entrarme monja —o en dinero de presente o en joyas que lo valgan— dos mil ducados (p. 898).

Y, más tarde, Elena y su cortejo de tipos apicarados, cometen otra estafa monetaria de larga durada y superior provecho. Veamos el pasaje siguiente:

> Corrían Elena y Méndez en hombros de la misma fama: porque entreambas vestidas en hábito de beatas... Y dándose el nombre la una de hermana y la otra de madre... dábanle limosnas liberalísimas, recogiendo Elena y Méndez, por su parte otras muchas, de no menor cantidad... (pp. 913, 914 y 915).

De este oficio lucrativo Elena regresa a la prostitución cortesana, poniendo casa elegante y usando al marido de pantalla colaboradora para mayor beneficio y prestigio socioeconómico. Expliquemos la situación:

> Obligóse Montúfar, cuando se dio por esposo de Elena, a llevar con mucha paciencia y cordura como marido de seso y, al fin, hombre de tanto asiento en la cabeza— que ella recibiese visitas; pero con un item: que habían de redundar todas en gloria y alabanza de cofres, trayendo utilidad y provecho... (p. 916).

Es curioso notar que Elena empieza el oficio de prostituta alcahuetada por su madre y termina con el mismo oficio alcahuetada por su marido rufián.

Teresica, la segunda heroína apicarada de este grupo, presenta también pocos oficios o empleos durante su vida. El primero es, cronológicamente, el de fregona y ayudante de cocina, pasando rápidamente al de ladrona o farsante de marca menor. Este empleo, lo ejecuta la protagonista de *El escarmiento del viejo verde,* bajo la tutela de su astutísima celestina, doña Emerenciana. Después de dicha actividad, la moza se dedica a la prostitución en *La niña de los embustes,* pero no hay muchos informes de este oficio, existiendo solamente una alusión de tono inconsecuente (p. 254).

El último oficio de Teresica es el de estafadora cortesana, disfrazándose de dama principal y utilizando criadas colaboradoras que también reciben beneficio de las burlas. Explica el narrador que: «Volvieron a juntarse, y prometiéndole todas secreto hasta la muerte, amonestándola ella, no sólo con las palabras... sino con obras, dando a cada una parte en lo conquistado, a cual una joya de las mejores, y a cual una gala de las más ricas» (p. 262).

Ahora bien, la última de este segundo grupo es Rufina, la protagonista de *La garduña de Sevilla,* que al verse tan pobre en la viudez como antes en el matrimonio y aún en la soltería, decide comenzar su vida apicarada por la prostitución cortesana. Oigamos lo que dice el narrador de la heroína: «Ya tenemos a Rufina viuda y, lo peor de todo, pobre; pues viéndose así, con su condición traviesa, era fuerza valerse de su buena cara para sustentarse» (p. 1536). Se vuelve a notar el tono tan natural con el cual se explica el motivo de la prostitución cortesana, y en este caso, la de Rufina. Este oficio no dura mucho porque la moza de «buena cara» halla la colaboración y guía picaresca que necesita para ejecutar burlas y estafas que son más lucrativas que la simple prostitución. Así, por lo menos, lo deja asentado el narrador de la novela:

Dio cuenta Rufina a Garay como dejaban enterrado el dinero, pero mintiéndole en la cantidad, no confesándole haber más que lo que se ha referido haber en plata, y esto lo hizo con el fin de ocultar dél mayor partida, que estaba en oro (p. 1546).

Es obvio que Rufina es una ladrona de marca mayor, pues no solamente roba al indiano rico, sino al propio colaborador y guía picaresco llamado Garay. Concluyamos diciendo que otro oficio de Rufina es el de alquimista como Teresa de Manzanares; pero Rufina no desempeña por sí sola el alquimismo, pues Garay, que es su guía y maestro, le enseña lo necesario para utilizarlo con sus clientes (pp. 1565-1569). No obstante esto, Rufina acusa una carencia relativa de oficios y empleos apicarados, que, en parte, se debe a una carencia también de astucia y de ingeniosidad propias.

3. De poca diversidad

El tercer grupo de protagonistas consta de siete heroínas apicaradas que prueban tener un mínimo de oficios y empleos celestinopicarescos con los cuales se ganan la vida. Cristina, la figura central de *El coche mendigón,* es una especie de asistenta o dama de compañía que no recibe un provecho monetario por su empeño sino un salario intrínseco: paseos en coche. Este pago que recibe Cristina satisface su bizarra obsesión por el coche (p. 363). Otro oficio que desempeña Cristina es el de limosnera, y éste la ayuda a mantener su tren de vida, y, sobre todo, su coche, centro de sus preocupaciones. Nótese, por ejemplo, como lo capta el narrador: «Hizo fértil cosecha, y con lo procedido de la liberal piedad de los buenos le renovó las ruedas, remendole en los estribos, y alegró el mortal y finado color del encerado» (p. 376).

La alcahuetería es un oficio lucrativo y Cristina lo ejerce en su coche, que le sirve no sólo como modo de transporte sino también de casa de citas donde los clientes alcahuetados son satisfechos a plenitud.

Ahora bien, el caso de Teodora es diferente, pues el único oficio que tiene la protagonista de *La dama del perro muerto,* es la prostitución cortesana, brindándole buen provecho durante la adolescencia pero, paradójicamente, resultando en desastre tras desastre durante la postadolescencia o juventud. Es curioso notar que, la prostitución cortesana, no le proporciona a Teodora los beneficios que anhela, pues como carece de tacto y de astucia, todos los amantes se burlan y ella no puede remediarlo. En cambio, Flora, otra heroína de este grupo, logra sacarle provecho a la prostitución, puesto que le proporciona una estabilidad económica duradera con la cual puede mejorar su estado y lo cual le permite llegar a casarse con un indiano rico. Este es el único oficio que ejerce la protagonista de *La sabia Flora Malsabidilla.*

Se debe indicar que no todas las heroínas de este estudio ejercen la prostitución, pues el único oficio que desempeñan las cuatro «harpías»: Feliciana, Luisa, Constanza y Dorotea, es el de la estafa monetaria de gran calibre [17]. Estas heroínas apicaradas se disfrazan de damas principales y se pasean en coche lujoso para atraer a los hombres, algo parecido a lo que hace la protagonista de *El coche mendigón.*

En resumen, solamente una heroína apicarada de este análisis desempeña un gran número de oficios y se pudiera afirmar que casi está en una categoría aparte, pues, Teresa de Manzanares es criada, cómica y cantante, a una temprada edad en el mesón de los padres; después, se convierte en alcahueta y peluqueropeinadora durante su precoz adolescencia; por último, es burladora y estafadora todo el resto de su vida. Y la prostitución cortesana, tan evidente en otras pícaras de este estudio, es substituida por la galantería cortesana que sirve de pantalla a las grandes estafas monetarias.

Por tanto, es importante subrayar que, Elena, Teresica, Teodora, Cristina y Flora, todas heroínas apicaradas de Alonso J. de Salas Barbadillo, manifiestan una fuerte propensión a la prostitución a una temprana edad. En cambio, las heroínas de Alonso de Castillo Solórzano, no revelan esta misma propensión a la prostitución a ninguna edad, sino más bien, a la galantería y coquetería cortesanas, sin llegar al gozo sexual normalmente, y, tal coquetería cortesana, aunque un poco lujuriosa a veces, está bien disfrazada del público siempre, puesto que estas pícaras logran pasar por damas de sociedad. Sin embargo, Justina, la primera cronológicamente, y del autor, Francisco López de Ubeda, es un caso único, pues muestra una ligera inclinación hacia la prostitución, pero solamente la revela una vez, muy inconsecuentemente, en uno de los pasajes ya citados [18].

---

[17] Véase la nota doce de la introducción.

[18] *Idem.*

C. *El estado socioeconómico de la pícara adulta*

Estas heroínas apicaradas, que logran siempre permanecer en plena juventud o bella madurez hasta el final de las obras, llegan a acumular frecuentemente cierta riqueza monetaria. Este cambio socioeconómico, de la protagonista adulta, se divide en tres categorías que van de acuerdo con el grado de mejoramiento que prueba tener cada una al final de las novelas. La primera categoría la componen las pícaras ricas, la segunda las menos ricas y la última las pobres. Esta relativa riqueza, que acumulan las protagonistas de este análisis, la logran por medios diferentes.

1. Las pícaras ricas

Esta categoría consta de ocho heroínas apicaradas. La primera es Teresa de Manzanares, la protagonista de *La niña de los embustes.* Al final del material novelístico aparece en evidencia el estado socioeconómico de Teresa de Manzanares. Apunta la narradora en la última página de la obra:

> Prevenido todo el menaje de mi casa que ocupó un carro, yo entré en un coche... el dinero que traía que serían hasta dos mil escudos en oro y plata, puse en trato con un mercader (p. 1424).

A este capital monetario hay que añadirle el otro que realiza Teresa de Manzanares en joyas. No aparecen datos exactos de una cantidad total de estas joyas, pero sabemos que la heroína apicarada las ha venido acumulando. Señala la propia Teresa de Manzanares:

> Desde aquel día a porfía comenzaron a llover presentes... me envió dos sortijas de diamantes que valían trescientos escudos... mas con una joya que él dio... (que valdrían más de seiscientos escudos) (p.1415).

Y para completar este progreso socioeconómico, Teresa de Manzanares contrae su cuarto matrimonio con un rico mercader. Comenta la narradora:

> Súpolo esto un primo suyo, viudo y pareciéndole que le estaba bien ser señor de aquel dinero, para aumento de su caudal, que también era mercader de sedas, trató con Teodora de que se supiese de mí si quería casarme... concertó mi boda con tal mercader (p. 1424).

Como queda perfilado en estos pasajes, Teresa de Manzanares adquiere un bienestar económico sólido, que acompañado del matrimonio con el rico mercader de seda, corona triunfalmente su vida apicarada y la aleja muchísimo de su humilde origen de mesoneros.

La segunda heroína que llega a enriquecerse es Elena, la figura central de *La hija de Celestina.* Su posición socioeconómica, a pesar de ser bastante elevada al final de la obra, no alcanza la altura de la de Teresa de Manzanares. Como es natural, Elena tiene un origen muy humilde también, pero al final del material novelístico, el narrador explica su situación socioeconómica de esta manera:

> Entraron en la corte ricos y casados, y la cara de Elena con tanto derecho a parecer hermosa, que quien la daba otro nombre no la hacía justicia... Ella dio parte de su venida a las amigas importantes... Estas vinieron... ya un día a la Comedia, ya otro al Prado, y a la calle Mayor... Obligóse Montúfar, cuando se dio por esposo de Elena, a llevar con mucha paciencia y cordura —como marido de seso y, al fin, hombre de tanto asiento en la cabeza— que ella recibiese visitas; pero con un item: que habían de redundar todas en gloria y alabanza de los cofres, trayendo utilidad y provecho a la bolsa... (p. 916).

Es evidente en estos fragmentos que Elena logra conquistar un bienestar económico elevado y que su vida no carece de nada que el dinero no pueda comprar. Pero en cuanto se refiere a su posición social, se percibe que al contraer matrimonio con Montúfar, Elena no abandona todavía su vida de prostituta. Si bien es verdad que la prostitución que ejerce ahora es cortesana y muy elegante, también es verdad que su marido no deja de substituir la alcahuetería iniciada por la madre y, si Elena logra introducirse en una esfera social alta, dicha introducción es momentánea y muy poco duradera. No hay aquí la misma solidez y permanencia socioeconómicas que acabamos de experimentar en el caso de Teresa de Manzanares. Por otro lado, esta estabilidad relativa en el estado socioeconómico de Elena, es otro ejemplo de la variedad que existe en el alcance y mejoramiento de las diferentes heroínas apicaradas de este estudio [19].

La tercera de las pícaras, consideradas ricas, es Flora, protagonista de *La sabia Flora Malsabidilla.* Al final de dicha obra, la heroína apicarada se casa con un indiano rico y recién llegado del Nuevo Mundo. Es real-

---

[19] *Idem.*

mente un golpe de fortuna para Flora que tanto ha deseado una gran riqueza y una buena posición social (pp. 497-498). A continuación, la cuarta heroína apicarada de esta categoría, Teresica, logra enriquecerse con el casamiento también, y por lo tanto, mejora su estado social al mismo tiempo. Encontramos a Teresica, al final del material novelístico de *La niña de los embustes,* que contrae matrimonio con un rico heredero. Observemos cómo describe el narrador al marido de Teresica: «mozo recién heredado, bonito de talle y abogado de entendimiento, que estaba della enamorado... se casó con ella a pesar de su linaje» (p. 274).

Por las razones expuestas, debe tenerse en cuenta que, Teresica, no sólo logra mejorar enormemente su posición socioeconómica al casarse con este joven heredero de buena familia: «a pesar de su linaje», sino que al poco tiempo de casada hereda la fortuna y el apellido de su marido, pues el joven heredero: «murió a un mes de desposado», según comenta el narrador de la obra en la misma página. He aquí la gran fortuna de esta heroína apicarada: es rica y es libre.

Por otro lado, Feliciana, la quinta heroína apicarada de este grupo de ricas, no obtiene su fortuna por medio del casamiento. Feliciana, que es una de las cuatro protagonistas que aparecen en la obra, *Las harpías en Madrid,* obtiene su fortuna monetaria como producto de la estafa o burla apicarada. Hacia el final del material novelístico que concierne a Feliciana, se indica claramente el buen provecho que recibe esta heroína. Apunta el narrador a propósito:

> En tanto, había dejado a Feliciana un cofrecillo de joyas y dineros que valía más de 2.000 escudos... cargaron con el cofrecillo y con una maleta de vestidos de Feliciana... la cual se quedó con lindas joyas y monedas, saliendo bien en su empresa (pp. 67-69).

Sin embargo, debemos hacer resaltar cierta innovación en el desarrollo socioeconómico de Feliciana: no se observa ningún mejoramiento en el estado social de esta heroína apicarada. Tal invariación social es producto de dos factores vitales. El primero se debe a que Feliciana no proviene de un origen humilde y bajo, y esto se comprueba cuando Feliciana aparece por vez primera en el material novelado. Apunta el narrador de la obra acerca de la educación privilegiada de esta protagonista:

> ... su habla sonora y la más dulce voz... cultivada con la destreza de un gran maestro que la dio las lecciones para saber cantar diestramente a un arpa y a una guitarra, dando admiración a quien la oía (p. 11).

En estas líneas se aprecia que el nivel social de Feliciana es alto, y que si no es por la desgracia marítima del padre cerca de La Habana, que la coloca momentáneamente en desgracia, no se podría admitir que una heroína de tales señas sociales fuera estimulada a cometer estafas apicaradas.

Pues bien, este nivel alto vuelve a recuperarlo Feliciana después que ejecuta la estafa monetaria que le produce tanto beneficio: «un cofrecillo de joyas y dineros que valía más de 2.000 escudos» como acaba de afirmar el narrador, y, agregando a propósito que: «se dispuso la bella Feliciana a emprender la primera estafa para conservación del adquirido coche» (p. 31). Claro que el coche representa también la clase social alta a la cual pertenece la heroína literaria y, la «conservación del adquirido coche», reafirma este regreso a la posición social anterior.

Y finalmente, el segundo factor vital de esta invariación social en el caso de Feliciana, se debe al hecho que esta heroína literaria no se casa con un rico marido al final del material novelístico y, por lo tanto, su estado social se mantiene inalterado desde el principio hasta el final de la obra.

Otro tanto puede asegurarse de Luisa, otra «harpía» y hermana menor de Feliciana (pp. 101-102). También Constanza, la séptima heroína apicarada de este grupo de las ricas y otra de las «harpías», logra adquirir una gran fortuna que excede los mil quinientos ducados (p. 155). Y, se continúa esta norma establecida por las «harpías», con Dorotea, hermana de la anterior y octava heroína apicarada de esta categoría de las ricas. Explica el narrador de *Las harpías en Madrid* a propósito de la buena fortuna monetaria que adquiere Dorotea al final del material novelado que trata de esta heroína apicarada: «recogieron las joyas de don Tadeo y el dinero de su ganancia, que todo valía más de 2.500 escudos (pp. 175-176).

Ahora bien, recordemos que ninguna de las «harpías» logra un mejoramiento social y, esto se debe, mayormente, a que ninguna de las «harpías» contrae matrimonio durante la narración novelada y, a que todas demuestran iniciar la carrera apicarada desde cierto nivel social mediano alto; pero que, por una desgracia vital, son impulsadas a emprender estafas apicaradas. Asimismo, se debe notar también que, las otras heroínas apicaradas que logran adquirir una gran fortuna económica, a su vez, logran adquirir un mejoramiento social, sobre todo, si la protagonista apicarada se casa al final del material novelístico. Al casarse, la heroína literaria contrae un contrato social que no sólo le cambia su estado civil sino también social, al igual que su estado económico. Este es un fenómeno socioeconómico bien establecido y reconocido ya en el mundo occidental desde la desaparición de la época medieval, o quizás, aún antes.

2. Las pícaras menos ricas

Esta categoría, del estado socioeconómico de la pícara seiscentista al final del material novelístico, consta sólo de una protagonista. Se trata de Rufina, la figura central de *La garduña de Sevilla.* Explica el narrador:

> ... sabiendo de Jaime, dando cuenta della a su esposa, le aconsejó que dejasen a Madrid, pues tenían, dinero con que poder pasar en otra parte tomando algún trato... se fueron a Aragón, donde en su metrópoli, la insigne ciudad de Zaragoza, tomaron casa y en ella pusieron tienda de mercaderías de seda... (pp. 1617-1618).

Percibimos del pasaje que acabamos de citar que, Rufina, no adquiere una gran fortuna como las otras heroínas anteriores: «tenían dinero con que pasar a otra parte», ni tampoco adquiere un mejoramiento social tan elevado, pues se casa con un joven pícaro al cual ella ampara en su casa bajo falsa pretensión (p. 1595). De más está decir que esta relativa pobreza, en el estado socioeconómico de Rufina, es producto de un factor, aparentemente, esencial: esta heroína literaria no se casa con un viejo rico mercader; todo lo contrario, Jaime es un joven que comienza ahora el negocio de las mercaderías de seda y, como es natural, al avanzar la edad aumenta el capital y el mejoramiento socioeconómico que todavía no existe. Es por eso que incluimos a Rufina en esta categoría itermedia.

3. Las pícaras pobres

Esta categoría consta de tres heroínas apicaradas que prueban tener cierta estrechez económica al final del material novelístico. La primera es Justina, la figura central de *La pícara Justina.* En una de las pocas alusiones al dinero, la protagonista confiesa lo siguiente: «y en él hallé... cincuenta doblones de a cuatro» (p. 862). Este es poco capital para una heroína apicarada si la comparamos con las anteriores. Y más adelante, hacia el final de la obra, comenta la protagonista a propósito:

> ... me casé con un hombre de armas a quien yo había nombrado curador y defensor en los negocios de mi partija. Este hombre de armas me armó, y si quieres saber como fue, no digo más... Era mi marido Lozano en el hecho y en el nombre pariente de algo e hijo de algo. Y preciábase tanto de serlo, que nunca escupí sin encontrar con su hidalguía. Podía ser que lo hiciese de temor que no olvidase de que era hidalgo, y no le faltaba razón, porque su pobreza era bastante para enterrar en la huesa del olvido más hidalguía que hay en Vizcaya... Dos cosas tenía por las cuales le podía despreciar cualquier mujer de bien. La primera, que jugaba el sol antes que naciese, y no digo yo el sol... jugaba toda la noche. La segunda, que era muy amigo de las pollas... (pp. 878-879).

De más está añadir otro comentario a esta explícita declaración de la propia Justina. Sólo señalemos que, a pesar de contraer matrimonio, su estado socioeconómico permanece igual por toda la obra. Y esto se debe a que su marido es un soldado «hidalgo» sin oficio ni beneficio, como acabamos de leer en la cita anterior.

Ahora bien, la segunda heroína apicarada es Cristina, la protagonista de *El coche mendigón*. Comenta el narrador de la obra a propósito de la situación socioeconómica de Cristina:

> Con esto empeçó a visitar algunas personas principales; y llevando un par de escuderos alquilones, les proponía su necesidad y recibía su limosna, siendo la primera que hizo mendigar al coche para el mismo sustento de su fantasía, trayéndole ella a él lo que él a ella le avía traydo... A semejante ocupación y exercicio desvió el título digno de «el coche mendigón» (p. 376).

Cristina no acumula ningún capital al final del material novelado, a no ser que se tome en cuenta el dinero necesario para mantener su «coche mendigón», que no sólo sirve de vehículo de transporte sino de lugar de citas amorosas a la alcahueta cortesana. Cristina tampoco logra casarse.

Por otro lado, la desafortunada Teodora, la figura central de *La dama del perro muerto,* representa una innovación en la picaresca femenina porque esta protagonista empeora su estado socioeconómico al final del material novelístico. En las últimas páginas de la obra, nos informa el narrador lo siguiente: «La aperreada Teodora, que llorando sin esperar a su galán, aborrecida y desesperada se embarcó en las galeras» (p. 89). Como queda explícitamente señalado, esta heroína literaria termina la acción novelística en un estado de decaimiento total. Tampoco logra contraer matrimonio.

Es bastante interesante notar cómo el autor niega a este tipo de personaje, que se introduce paradójicamente en el género picaresco, toda posibilidad de realizarse, a pesar de la disponibilidad que tiene al mal. Por lo tanto, la figura de Teodora nos permite concluir que, sin una gran belleza física, sin una gran mundología y, sobre todo, sin una superioridad intelectual, la pícara literaria no puede existir. Pues bien, este personaje pertenece a la tradición de los héroes semiapicarados y, más bien, romanescos [20].

En resumen, es curioso notar que todas las heroínas que logran acumular un capital considerable en efectivo y en joyas preciosas al final del material novelado, las pícaras más ricas, lo reúnen de varias maneras: a veces, por el empleo de burlas y estafas apicaradas, otras veces, por los regalos que reciben de pretendientes y amantes ricos, y aún otras veces, por contraer matrimonios con maridos ricos, de alta clase social y, a veces, nobles. Las heroínas apicaradas de este estudio que no emplean eficientemente estos medios que acabamos de citar arriba, son las pícaras menos ricas o las más pobres al final de las obras correspondientes. En esta categoría de pobres, aparecen tres: Justina, Cristina y Teodora, siendo esta última mucho más pobre y desgraciada que las otras dos. En pocas palabras, el estado socioeconómico de la pícara adulta es de gran solvencia y aceptación social en la mayoría de las heroínas y, dicho bienestar y mejoramiento socioeconómico se adquiere por varias vías como acabamos de explicar. No todas las pícaras usan la misma vía, pero las más victoriosas en conquistar este propósito esencial, emplean intermitentemente estas tres vías.

Conclusiones

Hemos comprobado que la pícara seiscentista posee una genealogía de clase hampesca y socialmente baja por razones económicas. Los antepasados ascienden, a menudo, a varias generaciones —como es el caso de Justina— y esta línea genealógica está compuesta de mesoneros, alca-

[20] *Idem.* Además, véase la introducción en su totalidad.

huetas, prostitutas, marineros, soldados, o sea, aventureros y tipos hampescos y desafortunados de toda índole. No hay picaresca femenina si no hay precisamente una necesidad socioeconómica que la estimule, pues todas las heroínas apicaradas de este estudio pasan por un período de relativa penuria durante la infancia, o adolescencia, o aún postadolescencia.

Conviene añadir que, durante dicha época de desarrollo físicomental, estas heroínas reciben un entrenamiento que las educa en materia apicarada de una forma directa, y que proviene de los padres y tutores, o de una forma algo indirecta que dimana de una guía celestinopicaresca —como es el caso de las cuatro «harpías»—. Estos amaestramientos infantiles son de índole práctica y utilitaria, y, consecuentemente, preparan a la protagonista a luchar desde este medio ambiente contra todas las adversidades que se le presentan en la vida.

Esta lucha socioeconómica comienza ya en la infancia, y algunas pícaras desempeñan un gran número de oficios, pero éstos no producen mucho beneficio. Un núcleo numeroso de pícaras comienza esta lucha vital por la prostitución, pero la mayoría se da cuenta en seguida de que esta profesión, con todos sus riesgos, produce poco. Debido a ello, escogen otros oficios o vías más lucrativas.

Agreguemos que no todas las pícaras usan el mismo método para ganar esta guerra socioeconómica, pero, las más victoriosas, emplean tres caminos: las burlas y estafas monetarias, los amantes y pretendientes liberales y los matrimonios por interés con hombres ricos y, a veces, de linaje. Ninguna se enriquece desempeñando un oficio honesto. Por todas estas razones, las más victoriosas, las que logran adquirir una riqueza considerable, que son nueve entre las doce de este estudio, la consiguen usando bien los tres caminos discutidos.

Por último, visto desde el punto de vista socioeconómico, que es lo que afecta principalmente al medio ambiente, la pícara vence esta lucha vital y logra superarse hasta poder pasar por dama de sociedad. En otras palabras, la pícara seiscentista sale de su medio ambiente bajo y sube a un nivel superior y aceptable. Pero esta victoria ambiental, de la heroína apicarada, tiene un significante apoyo moral, y es ésta la materia que va a ser centro de nuestra discusión en el próximo capítulo.

III. LA MORAL: EL RETRATO DEL COMPORTAMIENTO EXISTENCIALISTA DE LA PICARA

La cuestión moral en la novela femeninopicaresca nunca aparece en simples términos filosóficos ni en discusiones teóricas. Este género novelístico es una expresión literaria esencialmente de acción que raramente permite una intervención directa del autor con fines moralizantes [1], y, por lo tanto, nos es posible establecer ciertos criterios morales de la pícara siguiendo la actitud del personaje cuando está en confrontación directa con las necesidades y contingencias que la vida le ofrece.

El propósito constante de la pícara es de utilizar sus dotes físicos e intelectuales para defenderse contra las adversidades de la vida, logrando casi constantemente un provecho de carácter atrevido que probablemente no hubiera logrado por medios estrictamente legales. Esta concepción moral que justifica toda acción por ser defensiva u obligatoria para el mejoramiento personal, nos hace pensar en una actitud maquiavélica al concebir que «il fine giustifica i mezzi» [2]; pero con la diferencia que, en *El Príncipe,* el fin último es el buen gobierno de un pueblo y un estado, mientras que en la picaresca femenina es una necesidad para que la heroína literaria pueda sobrevivir a la situación miserable y absurda de la vida, y salir victoriosa a pesar de todos los obstáculos. En otras palabras, el objetivo de la pícara es el buen gobierno individual. Es, pues, seguramente ésta, una concepción paradójica si la conclusión

---

[1] Peter N. Dunn: *Castillo Solórzano and the Decline...,* pp. 75-86 y 114-131. Además, se debe añadir una nota para recordar al lector que solamente una obra de todas las estudiadas, *La pícara Justina,* posee cierta dosis moralizante al final de cada capítulo en los «aprovechamientos»; y es un asunto disputable si son o no moralizantes. Los comentarios, en *Las harpías en Madrid,* son inconsecuentes.

[2] Niccolo Machiavelli: *Il Principe,* introduzione e note di Federico Chabod, con due tavole, Torino: Unione tipografico-editrice torinese, 1934, cap. XV, pp. 75-77.

final es que para poder vivir sin sufrir mucho, para defenderse contra la crueldad de la condición humana y, para aliviar esta desgracia perenne del individuo, no puede intervenir la cuestión moral, y, si interviene, debe servir de ayuda a esta defensa vital. Las acciones, tradicionalmente consideradas malas o inmorales, encuentran su justificación en esta defensa vital de la pícara. Dicha actitud defensiva de la heroína es casi siempre instintiva y no es el producto de una larga reflexión racional sino de una simple expresión humana, de las tantas que pudieran existir, reflejando asimismo las reglas crueles y absurdas que gobiernan el universo: el más fuerte sobrevive y el más débil perece.

Sin embargo, por más instintiva que sea esta actitud de la pícara, implica cierta «prise de conscience» de lo absurdo de la condición humana que recuerda, en cierto modo, la posición existencialista adoptada en *Le mythe de Sisyphe* [3]. Pues bien, la pícara que desde su infancia se encuentra en situaciones trágicas, sin ninguna razón propia, no se conforma con su suerte y lucha arduamente para mejorar su fortuna. La victoria que este personaje consigue, y por victoria se sobrentiende el obtener lo que la heroína desea desde su infancia, no resulta ser una glorificación del mal *per se,* ni tampoco una moralización al mostrar los vicios y horrores de la vida, sino un simple reconocimiento de la dignidad y del valor humano. Dicho reconocimiento se refleja, precisamente, en las descripciones de los esfuerzos astutos e ingeniosísimos de la pícara literaria y que, al mismo tiempo, resulta ser una revelación de lo absurdo de la vida.

En la pícara seiscentista se encuentran tres tendencias dominantes con respecto a la moral: una propensión a la maldad [4], un fuerte sentido de la libertad [5] y, por último, un sentimiento amoroso [6] de diferentes

---

[3] Albert Camus: *Le mythe de Sisyphe,* París, Gallimard, 1942. En esta obra se afirma que, a pesar de lo absurdo de la vida, la dignidad humana se reafirma en el esfuerzo constante de vivir en la lucha que el hombre ofrece en todos los momentos de su vida y no en la renunciación total de todos sus esfuerzos, aunque sepa que el destino humano es algo irracional e incontrolable por el hombre. La dignidad humana depende estrictamente del «engagement» vital. He aquí la victoria de Don Quijote, tan evidente y necesaria en toda época.

[4] Adolfo Bonilla y San Martín: *op. cit.,* pp. 374 y 376.

[5] Thomas Hanrahan: *op. cit.,* p. 248.

[6] Guzmán Alvarez: «El amor en la novela picaresca», pp. 34-45, 46-60, 88-92, 134-136, 152-155.

gradaciones y matices. Discutiremos estos aspectos en el siguiente apartado, teniendo en cuenta, solamente, las heroínas apicaradas más ejemplares en la presentación de estas tres tendencias dominantes. Esta selección, y a la vez, esta limitación, son necesarias para eliminar repeticiones que no alteran el resultado final.

LA PROPENSIÓN A LA MALDAD

Esta tendencia de la moral de la pícara seiscentista, la propensión a la maldad, se divide estructuralmente en varias partes que van de acuerdo con la composición interna de dicha propensión. Como es natural, todas las heroínas apicaradas de este estudio acusan síntomas de maldad, pero vamos a concentrarnos en aquellos síntomas más avanzados y graves; y como a consecuencia de lo que se acaba de expresar arriba, este apartado se divide correspondientemente en cuatro partes que son las siguientes: la falsedad, la venganza, la crueldad y la codicia.

A. *La falsedad*

Dicha característica aparece más avanzada en la mayoría de las doce protagonistas apicaradas de este estudio y se manifiesta en cuatro aspectos determinantes: la mentira, la infidelidad, la ingratitud y la traición, lo cual subdivide este apartado correspondientemente.

1. La mentira

Tal aspecto de la falsedad aparece en boca de casi todas las heroínas apicaradas de este análisis pero en especial en diez. Una de las mejores representantes es Teresa de Manzanares, la protagonista de *La niña de los embustes*. Apunta la propia pícara:

> —Señor Lupercio de Saldaña (que así era su nombre), yo no tengo de negar a vuesa merced quien sea mi padre; era un caballero de Burgos que se llamaba don Lope de Manzanedo, y madre, Catalina de Morrozos. Húbola doncella y nací de este desmán; casóla con un francés, y siempre pasé plaza de hija de éste, porque mi madre murió luego, teniendo intento de llevarme a su patria, que era viudo, y allá meterme monja en un convento (p. 1361).

Debe tenerse en cuenta que la única verdad de toda esta historia genealógica de Teresa de Manzanares, es el hecho de que su madre se llamaba realmente Catalina. En otro instante, miente descaradamente y de tal modo, que contradice su misma manera de ser, al prometerles a los caballeros de Toledo una futura recompensa hipotética[7]; pero que, en realidad, no hubiera nunca concedido bajo ninguna condición voluntaria. Afirma Teresa en esta oportunidad: «Ya vuesas mercedes están vengados de mí; pero no me podrán negar que valiera más tener en mi poder lo que me han llevado, que no en el de un pícaro y una esclava, que tiempo viniera en que vuesas mercedes hallarán recompensa en mi» (p. 1361). Es todo mentira.

En otras dos ocasiones, Teresa de Manzanares finge teatralmente para encubrir errores cometidos, demostrando un alto grado de falsedad espontánea y acusando simultáneamente una intención bien calculada (pp. 1407 y 1409). Pero la mentira magistral llega cuando esta heroína tan experta del tablado, lucha con todas sus fuerzas físicas e intelectuales para permanecer bajo la falsa identidad que se ha creado de dama principal. Señala Teresa:

—Hidalgo, ¿conóceme por dicha, que me habla con tanta llaneza, o parézcome a otra persona conocida suya?

—Descomedido y vil hombre, vos no sabéis con quien os burláis. Yo pasaba por el engaño que habéis tenido pensando ser yo otra; mas ya que os afirmáis en ello con tanta llaneza que llega a ser atrevimiento, quiero que entendáis que me llamo Teresa de Mendoza, viuda de don Alvaro Osorio (p. 1410).

A pesar de que este encuentro callejero es el inicio del desenmascaramiento final de Teresa de Manzanares, en esta ocasión consigue desembarazarse del desagradable intruso que, en realidad, es un antiguo camarada de teatro. De más está decir que, si la supuesta dama, Teresa de Mendoza (Manzanares), no finge ante tal encuentro callejero, pierde su falsa identidad y su buena posición social actual. Por lo tanto, necesita fingir para proteger sus intereses personales y preservar su buen gobierno individual. Es curioso notar que, después de cometida esta grave mentira, Teresa de Manzanares no manifiesta ningún remordimiento moral.

La próxima heroína que expresa gran falsedad, en su comportamiento y, especialmente, en su apariencia exterior, es Teresica, la protagonista

---

[7] Thomas Hanrahan: *op. cit.*, pp. 95 y 249.

de dos novelas, *El escarmiento del viejo verde* y *La niña de los embustes,* la cual recibe su adoctrinamiento bajo la tutela de una guía celestino-picaresca (p. 107).

Llama la atención que Teresica y su alcahueta, doña Emerenciana, hacen el papel de honradas y virtuosas tan a la perfección que la falsificación nunca llega a descubrirse, a pesar del escándalo público que ocasiona la estafa contra el viejo verde:

> Porque los testigos que estaban presentes, eran todos apasionados y les iba su interés en su destrición; además de que las ayudaba mucho la buena calificada opinión que en el barrio tenían de mujeres virtuosas y cristianas, que era con tanto extremo que muchas de las vecinas que se habían juntado decían á voces que se pondrían en un fuego, antes que creer que la niña no fuese de su condición la más honesta y honradita de la corte (pp. 116-117).

Pues indiquemos que, sin una buena reputación, la pícara no puede pasar por dama principal ni aun por mujer honrada como señalan algunos eruditos [8]; y, es por eso que, Teresica, y en especial, doña Emerenciana, se preocupan tanto en obtener y mantener la buena opinión pública: «profesaban las dos señoras notable recogimiento...» y naturalmente ahora las vecinas creen que Teresica es: «la más honesta y honradita de la corte», como acabamos de observar arriba.

Al independizarse Teresica de la tutela de doña Emerenciana, su mentira se vuelve a exhibir al ejecutar una burla doble de gran satisfacción y lucimiento. Es evidente que la protagonista apicarada finge una ingenuidad socarrona ante las acusaciones del amante ultrajado. Explica la narradora a propósito en forma dialogada:

> —Ay, señores, señores míos! ¿Cómo es esto? ¿Hombre en mi casa esta mañana, y de semejante señas? Como creo en Dios que debe de ser alguna liviandad de la gente que tengo en mi servicio, que aunque por lo que á mi me toca procuro elegir siempre criadas virtuosas, al fin, no hay que fiar de las más buenas, y muchas veces perdemos nosotras por ellas (p. 270).

Nótese cuánta calma exhibe Teresica a pesar de tener en casa al hombre que buscan cuando afirma descaradamente: «debe de ser alguna liviandad de la gente que tengo...» añadiendo más adelante: «muchas veces perdemos nosotras por ellas». Esta es una actuación perfecta de

---

[8] J. A. van Praag: *op. cit.,* p. 67.

la mentira en la cual se exhibe mucha ecuanimidad, osadía y aun descaro. La heroína confronta la sociedad, representada por la justicia o la ley, cara a cara, y resulta vencedora la pícara otra vez.

Elena, otra mentirosa de gran alcance y protagonista de *La hija de Celestina,* comienza su vida apicarada por la prostitución adolescente, en la cual demuestra ya a los trece años de edad una fuerte inclinación por el engaño. En este caso, Elena finge ser virgen en tres ocasiones diferentes. Declara a propósito: «Tres veces fui vendida por virgen» (página 901); y en otra oportunidad, después que logra independizarse de la tutela de la alcahueta madre, Elena combina una burla apicarada de gran fingimiento teatral y en la cual se atreve a disturbar la quietud de un viejo rico y noble. Señala el narrador de la obra:

> Aquí Elena, que sabía que una mujer hermosa tal vez persuade más con los ojos llorando que con la boca hablando, en lugar de razones, acudió con una corriente de copiosas lágrimas tan bien entonada, ya alzando, ya bajando, limpiándose ya con el lienzo los ojos por mostrar la blanca mano, y ya retirando el manto porque se viesen en rostro las lágrimas... (p. 896).

La artista apicarada engaña con tal perfección, que don Rodrigo de Villafañe acepta esta magistral mentira por verdad, añadiendo a propósito: «¡Es alguna mocedad o, por mejor decir, necedad de las que hace mi sobrino! ...» (p. 897). Elena logra obtener una buena suma de dinero, pues don Rodrigo queda bien convencido de la culpabilidad de su sobrino.

A continuación, la figura central de *La pícara Justina,* es otra heroína apicarada de este estudio que manifiesta talento y éxito para mentir, empleando gestos y muecas infantiles para fingir y convencer con más facilidad a los escolares astutos. Explica la protagonista Justina:

> Como el estudiante me vio tan humilde y vergonzosa y que de sólo alabarme de hermosa me ponía colorada, iba quebrantando olas y haciendo síncopas; en fin, poco a poco se iba enfrenando, y hablaba con menos orgullo... Entré baja, encorbadera, maganta y devotica, que parecía obejita de Dios. Entonces eché de ver lo que sabemos disimular las mujeres... Yo, no con pocos ademanes de vergüenza, soltándole y tornándole a tomar, le miré y remiré a mi sabor... Yo cuitándome toda, sonrojada e inquieta, andando el medio caracol y orejeando con las dos manos, le dije: —¡Ay, señor, que no quiero! ¡Tómelo allá! ¡Desdichada de mí!... (páginas 792-794).

La protagonista de *La pícara Justina* emplea una técnica basada en gestos y muecas que reflejan la vergüenza: «sonrojada e inquieta, andando el medio caracol y orejeando con las dos manos». Esta es la única heroína apicarada, de las doce en cuestión, que emplea dicha técnica de manerismo infantil, adaptándose admirablemente bien a la personalidad alocada e inmadura de Justina [9].

Debe tenerse en cuenta que la protagonista de esta obra prueba su falsedad también por otra vía tan eficaz como el fingimiento que acabamos de presentar, pues crea instantáneamente una historieta creíble que la saca de apuros eróticos, mintiendo con tal entusiasmo y veracidad que logra su objetivo rápidamente y sin ningún contratiempo. Confiesa la figura principal a propósito:

> El con esto detúvose, y aún creo, si fuera mujer, se le rayara la leche, según tomó el espanto,... Triste de mí, si no supiera conjurar fantasmas de entre once y mona... —Señor Araujo —dije—,... Ahí junto a su cama está uno, y dice que es muy pariente mío... (p. 839).

Parece evidente que la invención de Justina es bien creíble al asegurar que: «El con esto detúvose». Al igual que esta mentira, hay por toda la obra muchísimas otras que acreditan, a la traviesa pero astuta heroína, el título de gran farsante.

En cambio, la mentira de Rufina, la protagonista de *La garduña de Sevilla,* a pesar de basarse también en una labia astuta, presenta otros matices que son ya prevalentes en las heroínas de las últimas obras apicaradas del siglo XVII [10]. Esta labia es más refinada por perder el tono popular y por adquirir uno amanerado bastante evidente. El fingimiento y la mentira espontáneas de Justina, Elena y aun Teresa de Manzanares, desaparecen dando lugar a una falsedad bien estudiada y elegante. Nótese cómo miente Rufina en este fragmento:

---

[9] Thomas Hanrahan: *op. cit.,* p. 202.

[10] J. A. van Praag: *op. cit.,* p. 68. El refinamiento de estas heroínas apicaradas se va acentuando tanto que pasan por damas de alta sociedad. Este proceso se debe en parte a la gran influencia de la novela cervantina, tan evidente ya hacia mediados del XVII. Se evidencia en Flora, la figura principal de *La sabia Flora Malasbidilla,* publicada en 1621, y culmina en Rufina, la figura principal de *La garduña de Sevilla,* publicada en 1642.

Granada, ilustrísima ciudad de nuestra España, es mi patria; mis padres, cuyos nombres callo por no ser a propósito decirlos, son de los dos más antiguos y nobles solaces que hay en las montañas de Burgos; (p. 1539).

Además de esta esmerada actuación de Rufina, se agrega otro elemento, el llanto:

Con lo fingido de la historia, la cual traía Rufina bien pensada, comenzó a verter lágrimas, de manera que el buen Marquina se lo creyó todo y la acompañó en el llanto, efectos todos del amor que en su pecho iba obrando; la socarrona Rufina, entre los dobleces del lienzo que enjugaba sus fingidas lágrimas, daba lugar para que sus ojos pudiesen ver las acciones de Marquina, y viendo cuanto se compadecía de su pena y lo bien que había creído su mentida relación, se dio por vencedora en la empresa que intentaba (p. 1541).

Como queda señalado, el llanto falso le sirve a la pícara también de estratagema femenil para obtener lo que desea con más facilidad. Este elemento aparece por primera vez en Elena (p. 896), reapareciendo esporádicamente en Teresa de Manzanares (p. 1394) y ahora en Rufina. No obstante la falta de espontaneidad en la mentira, Rufina ejecuta estos artificios apicarados con buenos resultados, como acabamos de observar en el pasaje anterior, y lo podemos apreciar todavía en varios casos aislados (pp. 1546 y 1576). De más está decir que, la mentira que desempeña Rufina con más habilidad de experta, debido a su gran atractivo físico, es el de seductora amorosa de viejos verdes y adinerados: «Era hombre de más de cuarenta años que era viudo, y del matrimonio no le quedó ningún hijo, habiendo tenido tres... Rematado quedó el enamorado Octavio oyendo la suave y regalada voz de Rufina» (pp. 1563 y 1566).

Como ya hemos notado anteriormente, un factor indispensable para la pícara seiscentista, es una buena reputación moral ante la sociedad; esto lo consigue disfrazando su pasado libertino y frecuentemente lujurioso [11]. Pues bien, en el caso particular de Flora, la figura central de *La sabia Flora Malsabidilla,* y la última heroína de este grupo, se nota también este afán de fingir una gran virtuosidad. Explica la protagonista:

Aquí disimulando mi naturaleza y revenciendo mis apetitos he vivido con honesto ejemplo, y para excusar por todos los medios que nadie de los que me conocen pueda reconocerce, sólo salgo los días de fiesta con la luz del aurora á oir la primera misa echado el manto sobre los ojos, de modo que no aún los sacerdotes del templo ven más que un bulto, cuyo recatado extremo admiran... (p. 304).

[11] Ibíd., pp. 67 y 74. Además, véase la nota 12 en el capítulo II.

Por lo visto, causa tanta impresión este recogimiento, aunque forzado de parte de la impostora, que se crea en poco tiempo una fama bien reconocida. Se agrega sobre dicha cuestión: «Apenas la sabe el nombre; sus paseos son de su casa a la iglesia, y para ella no hay mejor calle que este aposento, donde ejercita virtudes y excusa murmuraciones; algunas horas gasta en consultar libros de devoción, y las otras en esta labor tan limpia y tan curiosa, que en una parte se retrata su honestidad y en otra su ingenio» (p. 305). Teniendo presente lo antedicho, una de sus damas de compañía, opina de esta manera:

—Pues quiero que advirtáis que el mismo rigor que guarda mi prima en recibir visitas tiene en el hacerlas, porque no sale sino de su casa á la iglesia, y esto de modo que nadie puede referir las señas de su semblante; y afirman los vecinos que es tanta la quietud de aquella casa, que piensan que es inhabitable ó que la habitan espíritus del cielo (p. 389).

Existen otros fingimientos de gran maestría, pero la actuación socarrona de Flora al final de la novela llega al colmo de la mentira apicarada. Flora engaña intencionalmente a todo el mundo con la verdad, puesto que nadie acepta creer su pasado hampesco y libertino, considerando esta confesión de la protagonista pura estratagema para evitar el matrimonio con el indiano. Pero en realidad, la astuta moza desea afanosamente este enlace matrimonial. Con esta estratagema resulta vencedora con la verdad que todos creen mentira [12].

Otra heroína, que expresa gran falsedad con la mentira o con su comportamiento artificioso, es Feliciana, una de las cuatro protagonistas de *Las harpías en Madrid*. Esta heroína apicarada se introduce en casa de su futura víctima amorosa de una manera violenta y engañosa. Apunta la propia Feliciana:

«—Esta casa, sea de quien sea, será mi amparo, donde me libraré del peligro que me aguarda, y no digo yo en ella... pero en una leonera me arrojara pareciéndome hallara más piedad en las fieras que á donde me llevan.» (p. 34).

Tales palabras las declama Feliciana de manera que Horacio pueda oírlas con facilidad, lo cual estimula una reacción esperada y calculada. He aquí lo que agrega el narrador:

---

[12] Ibíd., p. 70.

«Oyendo esto el señor Horacio, dejó el instrumento y tomando su espada bajó al zaguán donde halló a la dama cercada del escudero y dueña, que porfiaban con ella que se volviese al coche. Así como Feliciana vió á quien dirigía su engaño, fingiendo un lastimoso llanto se abrazó á él diciendo: —Generoso caballero: si hay piedad y cortesía en vos... valedme, amparadme de dos criados que intentan llevarme á que por fuerza pierda mi libertad con un casamiento á disgusto (p. 34).

Del fragmento anterior se desprende el calculado fingimiento de Feliciana que es tan necesario para obtener su propósito: introducirse en casa de Horacio para seducirlo y estafarlo después. Y como es natural, ante tal actuación de parte de Feliciana, Horacio no tiene otro remedio que amparar en su casa a su futura verduga amorosa y monetaria.

La octava heroína apicarada de este grupo de mentirosas, es Luisa, la hermana de Feliciana, y otra de las «harpías». Pues bien, Luisa exhibe su falsedad de una manera más indirecta al principio, pues en vez de enfrentarse y dirigirse a su víctima para engañarla con la mentira de cerca, Luisa escoge aproximarse paulatinamente y engañar primero de lejos. Se explica en *Las harpías en Madrid* de esta manera:

«Enfrente de la posada de éste (cuyo nombre era César Antonio) tomó cuarto nuestra sevillana. Era el principal de ella con balcón á la calle; el traje con que quiso entrar fue de viuda, al modo de éstas que enjugan brevemente el llanto de sus difuntos esposos, y, mintiendo achaques... pues su madre le sirvió aquí de dueña, en compañía de la buena Bañuelos y su hermana (en diferentes paños) de doncella... Paró el coche; apeáronse de él, y subiendo arriba, lo primero que hizo la dama (que ha de ser el héroe de este discurso) fue salir al balcón y dejarse ver en él sin manto, muy descubiertamente, del genoués, que estaba hecho un argos mirándola... (pp. 72-73).

Y para concluir esta estudiada maniobra, Luisa se hace la sorprendida ante los ojos del amartelado César Antonio. Apunta el narrador a propósito en boca de la protagonista:

—¡Jesús, y qué descuido ha sido tan grande el de no haber hecho poner aquí una celosía! No me pase de mañana sin que se ponga, que no es recato de mi estado y calidad ponerme tal vez á este balcón sin ella (p. 73).

Debemos añadir que es bastante significativo el modo de actuar de estas protagonistas que aparecen en *Las harpías en Madrid*. Un factor característico es la elegancia con la cual acostumbran a comportarse y, sobre todo, a desenvolverse en este círculo social alto. Es una sublime actuación de gran dama.

Conjuntamente, Constanza es la novena heroína de este estudio que exhibe una gran mentira en su comportamiento. Esta «harpía» se destaca, esencialmente, por su labia y agilidad mental, y éstas son respaldadas, a la vez, por su aguda astucia apicarada. Afirma la propia protagonista cuando revela su identidad ficticia:

«—Yo, señor mío, soy natural de Sevilla: allí nací de nobles padres, con el apellido Monsalve. Mi padre se llamó don Lope de Monsalve, mi madre doña Mencía de Saavedra, y á mi, única hija suya, me llaman doña Rufina de Monsalve y Saavedra; quedé muy niña falta de la compañía de mi madre, por llevársela Dios á descansar; mi padre como mozo, pasado el año de la viudez, se aficionó de una dama de aquella ciudad, con intención de casarse con ella. Tenía dos hermanos mozos y no deseaban que su hermana tomara estado por heredar de ella cierta hacienda... (p. 109).

Y después que Constanza engaña al astuto cura, «un docto sacerdote», con la anterior y falsa autobiografía, se lanza a engañarlo de nuevo con otro relato falso sobre sus bienes y riquezas. He aquí lo que afirma Constanza con gran artificio:

«—Señor doctor, yo tengo 6.000 escudos en poder de los Fúcares y en plata. Cuando los dejé allí para que ganasen, me pusieron por condición que cuando los quisiese yo sacar de su poder, los había de avisar un mes antes; no sé como encarezca a v. m. cuánto me ha pesado de haber hecho tal por la confusión en que ahora me veo para ver de dar este dinero á este hombre de la capilla; pero como no se puede hacer más, quiero valerme de mis joyas, que son de consideración, y bastantes para pedir más cantidad; hélas hecho tasar por el contraste y esta es su fe (p. 134).

A lo cual responde el convencido sacerdote con las siguientes afirmaciones:

«—yo, mi señora, podré prestar a v. m. esa cantidad, aunque no de dinero mío; pero de uno que tengo en mi poder en confianza por cierto empleo... con esto Mogrobejo se fue con el cura en el coche y dentro de él volvieron brevemente con dos talengos grandes en que traían los 1.500 ducados en reales de á ocho (p. 135).

Como acabamos de notar, Constanza exhibe tanta veracidad en su falsa narración, que convence al astuto pero avariento doctor en teología a que le avance cierta cantidad de dinero. Es notable observar cómo esta heroína apicarada logra adquirir su propósito a pesar de la sabiduría de este docto sacerdote. He aquí la gran mentira de Constanza.

La última y décima protagonista apicarada de este grupo que presenta falsedad a través de la mentira, es Dorotea, una de las cuatro figuras centrales de *Las harpías en Madrid.* Dorotea se presenta ante un pretendiente amoroso bajo falsa identidad. Declara el narrador de la obra a propósito:

«Con esto la dama le dijo ser casada con un caballero que estaba en Indias, á quien esperaba en la flota, el cual había quedado preso en Lima, y ella había acudido á diligenciar su libertad y el desembargo de toda su hacienda, que no era poca (p. 144).

Ahora bien, definitivamente, Dorotea exhibe su última y máxima mentira al convidar al pretendiente amoroso a una cena privada. Se comenta lo siguiente:

«Prevenida la cena, cenaron los dos amantes, siendo servidos de las dos dueñas solamente; en la bebida de don Tadeo, se le echaron unos polvos que causaban dentro de poco tiempo profundo sueño... y para engañarle la astuta moza, se comenzó á irse poco á poco destocando (p. 175).

2. La infidelidad

Este es otro aspecto determinante del cual se compone la falsedad de estas protagonistas. Teresa de Manzanares, la protagonista de *La niña de los embustes,* es la primera de este grupo. Exhibe ya esta característica durante su segunda infancia mientras sirve de criada a las maestras de labor, sus tutoras, y de alcahueta a Teodora, hija de una de ellas. La precoz Teresa se deja acariciar por los tres amantes de Teodora, manifestando simultáneamente una infidelidad múltiple como vamos a observar claramente en el siguiente pasaje:

Era yo acariciada de todos tres, deseando travar conversación y tener conocimiento conmigo... (p. 1352).

... El despejo con que dijo esto [Sarabia] ocasionó un cuidado en mí, que desde aquel día quise bien a aquel hombre, teniendo celos... (p. 1355).

Mandóme subir [el regalo de un pretendiente] a su presencia; yo lo hice, reservando empero para mí las medias y ligas que más me contentaron, que fueron unas de nácar y plata... (p. 1353).

De los anteriores fragmentos hay que notar que, no solamente la precocísima alcahueta logra quitarle los pretendientes a Teodora, sino que se aposesiona de una parte del regalo que recibe de otro pretendiente.

Teresa de Manzanares exhibe también infidelidad conyugal; esto se observa explícitamente durante los tres matrimonios que contrae. Ante estos síntomas incurables, la pícara Teresa excusa siempre sus adulterios por llamarlos represalias vengativas por la mala vida que lleva de casada con cada marido. Comenta la protagonista:

> Supo el licenciado Sarabia mi desconsuelo y triste vida, y escribióme un papel muy tierno condoliéndose de mi trabajo y ofreciendo su persona si era menester para su remedio... Vime con Sarabia; lloré mi trabajo, y él consolándome en mi aflición, procuró no perder la ocasión con la que nos dio el haber echado de la calle al viejo y tener tales guardas a la puerta, que nos aseguraban que no lo dejarían entrar. No pensé hacer tal flaqueza; mas los celos sin ocasión pedidos y los recatos sin causa ejecutados, juntamente con la opresión en que me vi, me hizo determinarme a lo que sin nada de esto hiciera (pp. 1363 y 1365).

Como queda señalado por Teresa, el primer marido le da muy mala vida por ser muy ruin con el dinero y, sobre todo, muy celoso también. Ahora bien, el segundo marido es todo lo contrario, pues el examante Sarabia le da la oportunidad de ser infiel, lo cual disgusta a la atractiva heroína al principio, pero cambia de parecer después por lo provechoso que resulta: «... diome la ocasión, y no la dejé pasar» (p. 1396). Y el tercer marido es aún más celoso que el primero, proporcionándole una vida enclaustrada, que detesta la heroína del Manzanares con toda su alma: «Las ventanas habían de estar siempre cerradas; el salir había de ser siempre en el coche y corridas las cortinas de él... amigo ninguno no le había de entrar en casa, ni visitarme, ni tampoco lo consentía aun a mis amigas» (p. 1405). De más está decir que, a pesar de esta severidad del tercer marido, Teresa logra serle infiel primero de palabra: «por la orden del escudero nos escribíamos» (p. 1406), y más tarde de acción, lo cual ocasiona indirectamente la ruptura final del tercer matrimonio.

Por otra parte, Justina, la protagonista de *La pícara Justina,* exhibe una infidelidad paterna y materna de fuertes tintes grotescos; y tal infidelidad se funda en el desamor de palabra y de acción hacia sus progenitores. Al morir el padre, la madre y las hijas se divierten y el perro del mesón vela al difunto padre. Leemos ahora:

> Dejamos en guarda de mi señor padre un perrillo que teníamos... el diablo del perrillo como olió olla y carne, comenzó a ladrar por salir, viendo que no le abríamos, fuese a quejar a su amo, que estaba tendido en el duro suelo. Y como vio

que tampoco él se levantaba a abrir, la puerta, pensando que era por falta de ser oído, determinó de decírselo al oído. Y como le pareció que no hacía caso de él ni de cuanto le decía, afrentóse, y en venganza le asió de una oreja; y viendo que perseveraba en su obstinación, sacóla con raíces y todo, y transpantóla en el estómago (pp. 745-746).

En el anterior pasaje, también llama la atención, el gran sarcasmo que reflejan estas consideraciones de la protagonista Justina. Estas no sólo producen humorismo macabro, sino conjuntamente espanto y aun disgusto. Dicho cuadro demuestra hasta qué punto puede llegar la crueldad de la pícara, pues mientras que grotescamente el perrillo hace los honores de la familia al despedazar el cadáver que yace en tierra, paralelamente el resto de la familia despedaza un buen asado de carne para hacer los honores al adinerado homicida. Sobre lo macabro excede lo sarcástico [13]. Dicha nota de sarcasmo continúa al morir la madre de Justina de pura gula, y más específicamente, de un atragantamiento de longanizas: «metió sin mascar más de dos varas de longaniza, repartida en cuadrillas, aunque mal ordenadas y peor mascadas» (p. 748). En estas líneas se aprecia que Justina sigue acusando la misma apatía filial, lo cual refleja, claramente, un desamor tan alarmante como el anterior en el caso del padre. Observemos lo que opina la protagonista acerca de la madre después de su muerte: «Lloré la muerte de mamá algo, no mucho, porque si ella tenía tapón en el gaznate, yo le tenía en los ojos, y no podían salir las lágrimas» (p. 748). Vuelve a exceder lo sarcástico.

A pesar de todo esto, no hay referencias directas a la infidelidad conyugal de Justina. Poco antes del final del material novelable, la protagonista se casa sin que haya datos precisos sobre su vida matrimonial (páginas 878-885).

Elena, la figura central de *La hija de Celestina,* es la última de las tres heroínas de este análisis en manifestar una fuerte dosis de infidelidad, y ésta es de carácter conyugal. El caso de infidelidad de Elena es parecido al de Teresa de Manzanares durante su segundo matrimonio. Ambos maridos aceptan el adulterio como medio de mejora económica para la pareja: «Obligóse Montúfar, cuando se dio por esposo

[13] La crueldad de esta heroína apicarada traspasa todo límite y llega casi al mal gusto. Véase Thomas Hanrahan: *op. cit.,* pp. 212-213, y J. A. van Praag: *op. cit.,* página 68.

de Elena, a llevar con mucha paciencia y cordura —como marido de seso y, al fin, hombre de tanto asiento en la cabeza— que ella recibiese visitas» (p. 916). Pues bien, como queda claramente señalado, dicha infidelidad de Elena es consentida y estimulada por el marido.

3. La ingratitud

Este es otro ingrediente determinante del cual se compone la falsedad de estos personajes apicarados y lo introduce Elena al describir su conducta con el amante genovés. Narra la propia protagonista:

> ... habiendo gastado con nosotras toda su hacienda, murió en una cárcel habrá pocos días. Temióse mi madre de la justicia y quiso mudar de frontera. Partimonos a Sevilla (p. 901).

En este pasaje observamos la ingratitud de Elena y de la madre en combinación y, para colmo de agravio, se le agrega la fuga, lo cual expone una indiferencia total de parte de ambas. Debemos añadir que esta protagonista apicarada vuelve a exponer bastante ingratitud al abandonar a Montúfar, su amante de muchos años. Este se halla enfermo en cama e imposibilitado de valerse por sí mismo, lo cual acentúa la ingratitud de la protagonista. Apunta el narrador de *La hija de Celestina*:

> Parecióle al enfermo que tardaban y llamando a su huéspeda supo de ella que aquellas señoras se habían ido [Elena y Méndez] y le dijeron que porque su merced quedaba durmiendo, en razón de haber tenido la noche pasada mala, a causa de cierta indisposición, que no le despertase hasta que el mismo de su voluntad lo hiciese (p. 908).

Aclaremos que Elena no reacciona de esta manera por sí sola, pues recibe la influencia de la vieja Méndez: «Desta opinión fue siempre la venerable Méndez, porque le pesaba mucho de ver en casa quien la mandase a ella y gobernase a su ama» (p. 906). Esta interferencia de la celosa vieja crea en Elena una actitud de rebeldía y de ingratitud, y, tal actitud refleja fuertes matices de crueldad cuando la heroína abandona al amante, que tanto ha cooperado con ella, en un estado físico que lo imposibilita a defenderse.

También, en otra ocasión, Elena repite su comportamiento ingrato: abandona de nuevo a otra persona amiga en el mismo estado físico de incapacidad que acabamos de observar arriba. Irónicamente, la instigadora del hecho en el caso de Montúfar, es ahora la que es abandonada. La vieja Méndez es sorprendida por las autoridades sin recibir la ayuda de sus cómplices ni el tiempo para defenderse. Nos informa el narrador que «muy lejos de este suceso, bien distante desta imaginación, entraba por casa Méndez: dieron sobre su persona los corchetes, y cargándose de aquel cuerpo como de cosa propia, le vaciaron en la cárcel» (p. 915).

Teresa de Manzanares es la próxima protagonista apicarada que exhibe bastante ingratitud en su comportamiento con las maestras de labor, las cuales representan el refugio y la guía infantiles que la heroína carece durante la vida de los padres. Dice la figura central de *La niña de los embustes:* «Hallé amparo en aquellas dos hermanas, mis maestras de labor, y recibiéronme en su casa, pasando a ella lo poco que había quedado de la de mis padres... Aunque de tan poca edad, yo ya tenía bachillería para agradecerles esta merced y prometerles hacer lo que cristianamente me aconsejasen» (p. 1351). Al parecer, la huérfana olvida rápidamente su gratitud y su promesa puesto que contrae matrimonio por vez primera sin notificárselo de antemano a las tutoras, demostrando un gran desamor y desprecio en su comportamiento. Afirma la protagonista:

> Yo estaba con tanto deseo de salir de la sujeción de las viejas que me determiné a casar, aunque fuese con tantos años, y así el casamiento se trató secretamente, sin que ellas supiesen nada de él, hasta que la misma noche que el novio me llevó a casa de una hermana suya, viuda, adonde nos desposamos, no lo supieron (p. 1361).

Aparentemente, siguiendo el patrón establecido por Elena y Teresa de Manzanares, la próxima protagonista apicarada de este estudio usa también el abandono de su mejor amigo y guía celestinopicaresco para exhibir su ingratitud. Aclara el narrador de *La garduña de Sevilla*: «se resolvió en irse de Toledo y que la hallase ausente de allí Garay cuando volviese de su jornada, persuadiendo a don Jaime que la llevase a su patria... Rufina y su amante, escondidos de los ojos de Garay, a lo menos ella, vivían en Madrid casados» (pp. 1599, 1613). Debe tenerse en cuenta que, a pesar de haber sido Garay más paternal en su trato con Rufina que el propio padre, la protagonista decide abandonarlo puesto que ya no lo necesita: es correspondida amorosamente por el joven amante y futuro guía picarcsco suyo.

Flora, la figura central de *La sabia Flora Malsabidilla,* manifiesta este sentimiento de ingratitud, también, al abandonar a su amante generoso después de haberlo llevado a la ruina económica y dejado imposibilitado a valerse por sí mismo. Como dice la protagonista: «yo bien vestida y él mal desnudo, nos dividimos; él se fue a buscar ganancias para perderlas, y yo más pérdidas para ganarlas» (p. 301). Es bien evidente la tendencia que tienen estas heroínas apicaradas de abandonar a sus seres queridos cuando éstos dejan de serles útiles en su empresa apicarada. Conjuntamente, esta ingratitud que demuestran hacia sus amistades y amantes, en particular, se transforma fácilmente en traición, último ingrediente esencial del cual se compone la falsedad femenino-picaresca.

4. La traición

Es Elena la que mejor representa este aspecto traidor al envenenar a su amante Montúfar, y de este modo, da campo libre a su nuevo amante Perico. Explica el narrador de *La hija de Celestina*:

> ... pero apenas le tuvo la conserva, cuando él se halló embarazado de unas bascas mortales: encendiéndosele el rostro; arrojó por el suelo la silla donde estaba sentado; desabrochóse los botones, así los del jubón como los de la ropilla. En medio de esta turbación conoció su daño, y corriendo adonde estaba su espada para vengarse de quien le había dado a beber la muerte, acometió a Elena (p. 918).

Debe tenerse en cuenta que, aunque si Montúfar hubiera logrado herir a Elena en su último intento de defensa, esta reacción defensiva, de parte del amante envenenado, no habría disminuido la evidente traición de Elena. Dicha traición tiene ya sus orígenes en el abandono del amante enfermo, como hemos visto anteriormente [14], para completarse ahora, definitivamente, en el envenenamiento.

Teresica es otra protagonista apicarada que traiciona a su marido envenenándolo, y en esta ocasión, al poco tiempo después de casada. Apunta el narrador que: «el novio murió a un mes de desposado, con sospecha y mala voz de que sus deudos le habían dado alguna cosa que le llevó, á paso más largo de lo que él quisiera» (p. 274). Otra vez,

---

[14] Véase el subapartado sobre «la ingratitud» en este capítulo; también véase la p. 908 en *La hija de Celestina.*

la traición depende de la venganza; pero en este caso, no hay justificación evidente.

Tenemos otras dos heroínas que revelan una traición más limitada si se compara con los envenenamientos premeditados y ejecutados con éxito por Elena y Teresica. Sin embargo, no obstante esta disminución relativa en el grado de maldad intencionada, Rufina, la próxima protagonista apicarada de este grupo, peca de traidora del amor sincero que le ofrece su amante Feliciano al instigarlo para que se bata con otro amante, sirviéndole a Rufina de instrumento de represalia. Explica, el narrador de *La garduña de Sevilla,* el combate:

> Llegó la cosa a términos que Feliciano, perdido de celos... halló una noche en la calle de su dama a Roberto... Desto resultó el sacar las espadas los dos... Para que no se hallase allí el cuerpo de Roberto... (pp. 1533-1534).

Demás está decir que, Rufina, traiciona los sentimientos amorosos de Feliciano al usarlo de homicida suyo y vengador de su amor propio ofendido y, asimismo, convirtiéndolo en un fugitivo a causa de tal encuentro nocturno. Lo mismo hace Teresa de Manzanares cuando traiciona las esperanzas de barbar del infeliz «capón» y las esperanzas amorosas de los caballeros de Toledo: la protagonista usa burlas pesadas contra cada uno de ellos (pp. 1382-1383 y 1414-1420).

B. *La venganza*

Esta característica es peculiar y predominante en muchas de las protagonistas de este estudio, apareciendo en seis pero desapareciendo bastante en las otras seis restantes, lo cual las separa en dos grupos correspondientes [15].

Teresa de Manzanares, figura central en *La niña de los embustes,* exhibe la venganza con mucha frecuencia y la usa como represalia contra los maridos y amantes. Durante su primer matrimonio, castiga al marido vengativamente con la infidelidad: «Confieso que el amor de marido tiene grandes raíces, aún con los que obligan tan poco como éste, y que sentí entrañablemente su muerte, muy pesarosa de haber sido su origen por vengarme de sus terribilidades» (p. 1365-1366). Es curioso notar

---

[15] J. A. van Praag: *op. cit.,* p. 68.

cómo Teresa manifiesta la venganza en estas líneas y, debe tenerse en cuenta que, la presenta con ciertas reservaciones.

Por tanto, en otra ocasión, cuando Teresa de Manzanares se venga de sus propios enemigos, este sentimiento de venganza es más perfilado y acertado. La vindicta contra el empresario o autor de comedias es un buen ejemplo:

Con todo, no quise dejar de vengarme de aquel agravio que confesaba toda la compañía habérseme hecho, y así, habiendo tres días antes prevenido y convidado el pueblo con esta comedia... me fingí enferma de un grave dolor en el estómago y vientre de que mostraba faltarme la respiración, di parte de mi embuste a mi marido... (que después supo el autor, para que se enmendase en no tomar temas conmigo...) (pp. 1397-1398).

Sin embargo, no siempre Teresa se venga por agravios que hayan cometido contra su persona, como este caso que acabamos de citar, a veces, se venga del marido, a pesar de no tener razón (p. 1409).

Por lo que respecta a Rufina, personaje central en *La garduña de Sevilla,* se sabe que llega a ejecutar varias venganzas. Una la logra por medio de un intermediario, lo cual le evita de correr el riesgo de ser incriminada legalmente: «Sentía Rufina ver a Roberto volver a enamorarla, y cada vez que le veía se irritaba de la burla que le había hecho, provocándole a vengarla, y para esto le pareció que nadie lo haría en su nombre mejor que Feliciano, su galán... (p. 1533). Como ya hemos visto anteriormente, Roberto muere atravesado por la espada de Feliciano y Rufina queda libre de represalia o castigo de la justicia: «Sevilla es tan gran población, quedóse para siempre por saber quien fue el homicida; sólo Rufina lo supo viendo ausente a su galán y ser el muerto Roberto, de cuya muerte se alegró no poco, porque le tenía mortal odio por lo que con ella había hecho» (p. 1536).

La otra venganza, Rufina la logra, también, por medio de un intermediario y contra una víctima de sus propias estafas apicaradas, demostrando un gozo singular por el daño que causa a otros. Lo siguiente es un buen ejemplo de la vengativa maldad de Rufina: «mas no quiso ella partirse sin darle un mal rato al hipócrita ermitaño... Escribió un papel al Corregidor, dándole en él razón de dónde y cómo se podían prender, y con eso partiéronse de Málaga» (p. 1592).

Asimismo, al igual que Teresa de Manzanares en el procedimiento, y que Rufina en el resultado, Elena, otra protagonista de este grupo, ejecuta una venganza contra el amante. Dicha venganza ocasiona la muerte a ambos al final del material novelístico. El procedimiento es directo y rápido; Elena crea y realiza la acción personalmente. El resultado es mortal; Elena causa la muerte del amante. Explica el narrador de *La hija de Celestina*:

> Cegóse Elena de cólera, y suspirando por la venganza puso luego las manos en la masa. Cenaban una noche juntos, después de haber pasado algunos días, al parecer, ya muy amigos; pero el ánimo de Elena estaba armado y tan deseoso de sangre... pero apenas le tuvo la conserva, cuando él se halló embarazado de unas bascas mortales (p. 918).

Debe tenerse en cuenta que, no sólo Elena logra envenenar a Montúfar sino que también avanza y dirige el desenlace del nuevo pretendiente. Todo esto precipita el final de Montúfar. Esta violencia entre los dos hombres aumenta obviamente la severidad de la venganza amorosa de Elena y, por consiguiente, produce el final trágico de la heroína que termina en la garrota de la justicia.

Las otras tres heroínas restantes de este grupo que realizan venganzas significativas —Flora, Teresica y Justina— ejecutan acciones menos severas y mortales. Flora, por ejemplo, durante la adolescencia, al ser despreciada por un pretendiente por creerla demasiado humilde, determina vengarse de los hombres en general: «Viéndome en este estado pasé a Sevilla, donde mudando traje, hice verdad lo que de mí se sospechaba en Cantillana: entregué á un rico lo que le hizo pobre en dos años, pasando de sus manos á las mías cuanto adquirió en muchos. Yo bien vestida y él mal desnudo, nos dividimos» (p. 300). Se percibe un marcado antimasculinismo en este fragmento, pero el momento más ejemplar por lo vengativo, es cuando la protagonista de *La sabia Flora Malsabidilla,* propone vengarse del mismo causante de su malestar, usando una gran estratagema apicarada y peculiar en estas protagonistas: el matrimonio bajo falsa identidad. Oigamos lo que dice Flora acerca de su propósito: «... de modo que me vengué del desprecio que hizo de mi honestidad, haciéndole que se case conmigo después de tantas afrentas, para que con su propia honra se enmiende de la deshonra á que con sus engaños dio principio» (p. 302). Flora logra su deseo al final de la novela, engañando con la verdad al enamorado indiano (p. 497). He aquí toda la venganza de Flora.

La otra heroína, Teresica, figura central de *La niña de los embustes,* se venga de dos enamorados impertinentes en una burla doble: uno es hablador y pretencioso, el otro es difamador de la honestidad de las mujeres, según Teresica (pp. 265-273). Se observa crueldad en el desarrollo de esta venganza doble. Pero pasemos ahora a comentar otra venganza mucho más severa. Se trata de la protagonista de *La pícara Justina,* que se ocupa de vengarse a su gusto contra los bellacos escolares que intentan violarla en el campo. Justina los hace caer cruelmente de un carretón en marcha, uno a uno. Explica la narradora del suceso:

> Mas para espantarlos bien y vengarme mejor, me resolví entrar dando voces y diciendo... Esta era la primera estación y no poco gustosa, porque al echarse del carro daban temerarios zarpazos y sonaban a cueros que se enjuagan, y los más de ellos chocaban por salir con toda prisa y huir de mis rigores... así yo, aunque a rebencazos los derribaba, volvía el oído a percibir el sonido del golpe (p. 774).

Justina pone de manifiesto, en esta venganza, gran crueldad y gozo, lo cual va dibujando la personalidad de esta heroína con matices definidos de sadismo, sarcasmo y hasta de lo grotesco y macabro, especialmente cuando se refiere al desamor que la protagonista muestra por sus padres. Hay que añadir que, en todas estas venganzas, la pícara seiscentista expone una grandísima dosis de crueldad y de sadismo como vamos a verificar en el próximo apartado.

C. *La crueldad*

Esta característica se exhibe en siete de las heroínas [16]. Encabeza este nuevo grupo, Teresa de Manzanares, por demostrar poseer una crueldad de gran intensidad y frecuencia, lo cual ocasiona la muerte a su primer marido. Así por lo menos, lo expresa la protagonista: «Finalmente, el viejo se echó de burlas en la cama, y dentro de veinte días de la mala noche le dio tal enfermedad, que acabó con su vida... y sabe el cielo que no me pesaba de que viniese tal tan cansada me tenía su compañía» (p. 1365). Hay otro episodio en el cual Teresa muestra gran crueldad. Nos referimos a la burla contra el desbarbado que pro-

---

[16] Thomas Hanrahan: *op. cit.,* p. 258.

duce gran daño y dolor al engañado galán. Comenta el narrador de *La niña de los embustes*:

> Comenzó el agua a hacer su efecto, dando terribles dolores, que el sufrió por ver cuanto le importaba barbar. Fue bastante el lavatorio para no dormir en toda aquella noche.
>
> Levantóse a la mañana, y acercándose a un espejo se quitó el paño, viendo la más lastimosa labor, procedida del agua, que sus ojos habían visto. Todo el rostro tenía llagado, y no así como quiera (según supimos de los que le vieron) sino con heridas para curarse muchos días (pp. 1382-1383).

Seguidamente, Teresa concibe otra burla cuya crueldad supera la anterior, pues produce tanto sufrimiento mental a la enferma víctima que la obliga a permanecer en cama por muchos días: «entró en su cuarto perdido el aliento; despertó a un criado y díjole que venía malo; acostóse, y en toda la noche no pudo sosegar... Llamáronse los médicos, y tocándole los pulsos, dijeron tener una gran calentura. Esta se la continuó por algunos días, con que llegó a estar muy al cabo de sus días, sin querer decir el origen de su dolencia» (p. 1417). Teresa vuelve a mostrar crueldad en la última burla que comete contra un pretendiente, produciéndole, simultáneamente, angustia mental y dolor físico intenso. Lo explica así:

> Pues como partiese contra el fingido difunto y pusiese los pies en la alfombra, desclavándose, dio con su cuerpo en el zaguán... la caída fue tal, que quedó sin sentido, como ignorante del caso... dejando al pobre caballero aporreado puesto más de treinta pasos de mi puerta, adonde le dejaron al sereno y sin sentido por más de una hora que no volvió en sí (p. 1419).

Es interesante notar el fuerte antimasculinismo de Teresa de Manzanares en el trato con sus maridos, amantes y víctimas de burlas [17].

Asimismo, Elena, la figura central de *La hija de Celestina,* reduce a su amante genovés a tal estado de pobreza económica que, «habiendo destruido... toda su hacienda, murió en una cárcel habrá pocos días, preso por deudas» (p. 901). Más tarde, Elena vuelve a exhibir crueldad al abandonar a otro amante suyo en un estado físico lamentable: «esforzóse por vestirse y seguillas, pero no pudo...» (p. 908). Definitiva-

---

[17] Indudablemente, casi todas estas heroínas apicaradas reflejan bastante antimasculinismo en su trato con los hombres; esta característica resultará más evidente cuando analicemos el sentimiento amoroso al final del corriente capítulo.

mente, la crueldad máxima de Elena aparece al final de la novela cuando dice: «él se halló embarazado de unas bascas mortales» (p. 918).

Otra heroína apicarada que demuestra poseer una buena dosis de crueldad es Rufina, exhibiéndola, como de costumbre, contra uno de sus amantes, al cual logra quitarle la vida; esto lo hace, solamente, por haberse burlado de ella: «de cuya muerte se alegró no poco, porque le tenía mortal odio por lo que con ella había hecho» (p. 1536). En otra oportunidad, Rufina, la protagonista de *La garduña de Sevilla,* delata a un ladrón que vive en una ermita; lo hace por el placer del mal y sin recibir ningún beneficio por ello: «mas no quiso ella partirse sin darle un mal rato al hipócrita ermitaño» (p. 1592), el cual acaba de ser víctima de una estafa monetaria maquinada y ejecutada por la propia Rufina. Como queda señalado, continúa el antimasculinismo gratuito.

Al mismo tiempo, la travesura de Justina, la figura central de *La pícara Justina,* expone instantes de crueldad macabra, sobre todo en el incidente del cadáver y del perrito del mesón: «... y como le pareció que no hacía caso de él ni de cuanto decía..., le asió de una oreja..., sacóla con raíces y todo y transplantóla en el estómago» (p. 746). Además de lo dicho, Justina sigue mostrando instantes de crueldad en las represalias que realiza contra sus enemigos. Un buen ejemplo es el castigo de los escolares que intentan violarla. Justina explica con satisfacción el evento: «al echarse del carro daban temerarios zarpazos y sonaban a cueros que se enjuagan, y los más de ellos chocaban por salir con toda prisa y huir de mis rigores...; así yo, aunque a rebencazos los derribada, volvía el oído a percebir *[sic]* el sonido del golpe» (p. 774). Definitivamente, hay sadismo en esta crueldad.

En cambio, todo lo opuetso ocurre en el caso de Dorotea, una de las figuras principales en *Las harpías en Madrid.* Dorotea acusa una evidente ausencia de crueldad sadista al presentar dicho sentimiento matizado de travesura burlona y casi infantil. Explica el narrador:

> ... que así desnudo, le sacó de la cama y le envolvió en un pedazo de manta colorada vieja, muy fajado como niño, delante le puso un paño como babador, y de un cordel... con esto le metió en un serón, y así envuelto, cargó con él acompañándole el cochero, y le fueron á colgar de un balcón de la casa de un indiano muy miserable, donde le dejaron (p. 176).

Dicha burla tiene cierto parecido con la de Rufina y el falso ermitaño: el motivo del vino se repite, pero la crueldad es mucho menos severa.

De seguida, Teresica, protagonista central de *La niña de los embustes,* exhibe también rasgos de crueldad burlona contra un pretendiente, al cual deja aturdido: «... ponderaba mucho que por entreambas puertas le hubiese acometido el espanto de una misma visión, y decía que la muerte le andaba a los alcances si no se retiraba de semejantes desatinos» (p. 260). Es evidente que el sobresalto que sufre Fadrique lo disturba tanto que lo hace abandonar su intento donjuanesco. Y es por eso curioso notar que, en estas líneas, se aprecia un elemento moralizador, bien que no sea intencionado [18]. Y Flora, en *La sabia Flora Malsabidilla,* es la heroína apicarada de este grupo que menos crueldad demuestra poseer: «Yo bien vestida y él mal desnudo, nos dividimos» (p. 301). Es éste el fragmento de la novela en cuestión que expone el máximo de crueldad.

D. *La codicia*

Esta cuarta característica es predominante en una grandísima mayoría de las heroínas apicaradas que estamos analizando, exhibiendo casi la misma intensidad en cada una de ellas [19]. Teresa de Manzanares, por ejemplo, a los pocos años de edad, se interesa ya en el beneficio que extrae su gracia infantil: «Era un depósito de chanzonetas, un diluvio de chistes, con que gustaban de mí los huéspedes, y me las pagaban a dineros, con que mis padres me traían lucida» (p. 1350).

Volviendo a exponer esta misma preocupación por el provecho durante la estadía con las maestras de labor, donde desempeña el oficio de criada y el de alcahueta de Teodora, la figura principal de *La niña de los embustes,* acepta con gusto las dádivas de los pretendientes por su mediación en los amoríos de Teodora. Explica la protagonista: «seguíle y llevóme a una tienda, en la cual me compró cintas, arracadas y valonas, y pasando a otra, un muy curioso calzado de medias, ligas,

[18] Peter N. Dunn: *Castillo Solórzano and the...*, pp. 75-78 y 127-131. Véase la nota 1 de este capítulo.

[19] J. A. van Praag: *op. cit.,* p. 67; Peter Dunn: *Castillo Solórzano...,* p. 124; Adolfo Bonilla y San Martín: *op. cit.,* p. 377, y Thomas Hanrahan, *op. cit.,* p. 244.

chilenas y zapatillos, diciendo que perdonase, que en otra ocasión vería cuánto más se alargaba conmigo» (pp. 1352-1353).

Conviene apuntar que Teresa es tan codiciosa que no se conforma solamente con el beneficio que obtiene de los galanes de Teodora, sino que decide quitarle una gran parte a un regalo de medias y ligas que Teodora recibe de un pretendiente: «Mandóme subirle a su presencia: yo lo hice, reservando, empero, para mí las medias y ligas que más me contentaron, que fueron unas de nácar y plata. Compúselo bien y subí la caja» (p. 1352).

Además de esta gran ganancia, Teresa de Manzanares aún no está satisfecha y recurre a instigaciones e insinuaciones indirectas que exhortan a los otros pretendientes a volverse liberales con ella. Apunta la protagonista a propósito:

> Dile a entender cómo el médico regalaba a mi ama, por ver si esto le animaba a otro tanto para excederle, y quiso mi buena suerte que había llegado el plazo de la paga de su salario, con que se animó a enviar a Teodora un corte de tafetán doble negro para un vestido... y a mí me dio la misma tela para un jubón (p. 1354).

Todos los matrimonios que contrae Teresa de Manzanares son motivados por el interés del beneficio monetario; el primero: «un hidalgo honrado y rico..., aunque fuese con tantos años» (p. 1361); el segundo: «que con mi buena voz ganaría muy buen partido en la compañía, que junto con el suyo sería suficiente para pasarlo bien los dos» (p. 1395), y el tercero: «hombre de cincuenta años..., con más de cincuenta mil ducados que había traído de Lima» (p. 1405). Asimismo, en el desempeño de su oficio de peluquera Teresa exterioriza su codicia, pues no siempre está dispuesta a compartir su ganancia con las tutoras; y es por eso que tiene un desacuerdo y desea liberarse de ellas: «Yo estaba con tanto deseo de salir de la sujeción de las viejas» (p. 1361).

Por toda la novela, Teresa de Manzanares se preocupa constantemente por su estado económico, hallando en el dinero un elemento reconfortante cuando las cosas no logran éxito por otros canales: «Quedé viuda, aunque bien puesta, con que fue más fácil de llevar la pena» (p. 1404). Y más tarde, al ser Teresa expulsada de casa de su cuñada doña Leonor, halla consuelo a su desolación y maltrato en el metal precioso: «... pasando a ella todos mis muebles, que no eran pocos, y asimismo mi dinero, que era lo que me consolaba en mis trabajos» (p. 1412).

Pues bien, por otro lado, Rufina, la protagonista de *La garduña de Sevilla,* no exhibe ninguna codicia durante su infancia y adolescencia, como es el caso de Teresa de Manzanares, sino que es más bien indiferente al bienestar económico suyo durante esta época. Sin embargo, al enviudar del primer marido, la protagonista recibe una dura lección de la vida: «... viuda y, lo peor de todo, pobre..., un sobrino del difunto, acabado de enterrar a su tío, cargó cuanto había en casa...» (pp. 1535-1536). Rufina logra madurar rápidamente y se vuelve una gran codiciosa sin escrúpulos de ninguna clase, como podemos apreciar en el fragmento que sigue:

> Dio cuenta Rufina a Garay cómo dejaban enterrado el dinero, pero mintióle en la cantidad, no confesándole haber más que lo que se ha referido haber en plata, y esto lo hizo con el fin de ocultar dél la mayor partida, que estaba en oro, por lo que después sucediese, por si podía ella aprovecharse dél, porque no tuviese parte en todo (p. 1546).

Rufina logra su propósito y su condicia se satisface por el momento con los ocho mil escudos en doblones. Bien que ésta sea una cantidad enorme de dinero, la heroína literaria necesita saciar su ambición en otra estafa monetaria al «engañar a Crispín de modo que en lo que le tocaba a moneda no le quedase un dinero solo» (p. 1591). La protagonista apicarada se vale de «unos polvos conficionados de modo que infudiesen sueño» (p. 1591). Rufina se aposesiona de todo el dinero.

Otra protagonista, que usa anteriormente esta misma estratagema de polvos somníferos, es Dorotea, en una burla monetaria contra su pretendiente: «... en la bebida de don Tadeo se le echaron unos polvos que causaban dentro de breve tiempo profundo sueño» (p. 175). Recordemos que Dorotea exterioriza ya mucha codicia desde la primera vez que se encuentra con Tadeo, pues recibe sin pena un ofrecimiento costoso de este galán: «Para la primera salida no fue mala presa la de dos mi reales que costaría el vestido y las buenas esperanzas de tener más» (p. 143). No olvidemos que Dorotea no sólo acepta un regalo de un extraño en la primera entrevista, sino que se afana por saber con rapidez y precisión la verdad sobre el estado económico del pretendiente. Expone el narrador de *Las harpías en Madrid:*

> Desde aquel día no paró Dorotea hasta averiguar si era verdad la hacienda de don Tadeo, y halló la información como la podía desear, si bien con cierta pen-

sioncilla, que era tener fama de gran tahur, pero muy dichoso en el juego, con que se podía tolerar lo de serle aficionado (p. 145).

Tanto se impresiona Dorotea con el presente que le ofrece Tadeo en su primera entrevista, que seguida y consecuentemente desprecia todos aquellos que no sean de la misma naturaleza: «No quisiera ella tanta volatería, sino dádivas del talle de la primera de la puerta de Guadalajara» (p. 149). Aquí la protagonista razona con una lógica que se basa en un conocimiento o en una sabiduría popular de tono celestinopicaresco, y más tarde cree que el amante va a ir cambiando a medida que progresa su estratagema eroticopicaresca [20]: «... si bien eran todos de cosas de comer, que Dorotea trocara a preseas o cosas de más valor, mas tras de lo uno esperaba lo otro» (p. 145).

Por último, llega la oportunidad tan esperada por Dorotea, y no la deja pasar por alto. Consigue, pues, la cooperación de un amigo suyo estudiante y desaposesiona al dormido Tadeo de una gran suma de dinero: «ayudándola el estudiante que se halló allí de cochero; recogieron las joyas de don Tadeo y el dinero de su ganancia, que todo valía más de 2,500 escudos, y puestos los cofres a prevenida de antes...» (pp. 175-176). Es evidente que la codicia es lo que estimula a todo en Dorotea. Asimismo ocurre con Teodora, la figura central de *La dama del perro muerto,* que, a pesar de su mala suerte, es otra que pertenece a este grupo, ya que todo «paraba en codicia y mecánica» (p. 68).

Por otro lado, el caso de Teodora parece aún más exagerado en la codicia debido a que la heroína carece casi completamente de astucia, y ante el inevitable fracaso aumenta más su ambición, y es tanta la exageración que sus amigas le llaman la atención para que se refrene: «Amiga y señora, saber que vois sois una mujer muy soberbia y seca de condición y tan interesante que queréis que os paguen a la primer visita

---

[20] Basta citar un fragmento de *La Celestina* para notar una fuerte semejanza en estas filosofías apicaradas. Señala la propia Celestina a propósito:

Dile que cierre la boca e comience abrir la bolsa: que de las obras dudo, quanto más de las palabras (pp. 91-92).

El propósito muda el sabio; el nescio persevera. A nuevo negocio, nuevo consejo se requiere. No pensé yo, hijo Sempronio, que assí me respondiera mi buena fortuna. De los discretos mensajeros es hazer lo que el tiempo quiere. Assí que la qualidad de lo fecho no puede encubrir tiempo dissmulado. E mas que yo sé que tu amo según de lo que dél sentí, es liberal e algo antojadizo. Más dará en un día de buenas nuevas, que en ciento que ande penando e yo yendo e viniendo (p. 199).

el alquiler de la silla» (p. 86). No obstante esta advertencia, Teodora se deja llevar por su extremada codicia y acepta rápidamente la invitación de un galán por el mero hecho de que es soldado y lo cree ya liberal sin conocerlo bien. Explica el narrador:

> Desvanecióse la señora, y pareciéndole que tenía prisionero muy a su propósito, rico, pues era Gran Cruz, y liberal como soldado; porque todos derraman el dinero y pisan el oro... otorgó con la demanda y puso por decreto en el memorial «que se haga como se pide» ...parecióle que ya tenía en la red pájaro con tanta pluma, que por mucho que le pelase no le dejaría desnudo, aunque ella quedase muy vestida (pp. 71, 86-87).

Desafortunadamente, Teodora cae en una trampa que le erige el pretendiente. La creída burlona resulta, pues, ser burlada, y su exagerada codicia no produce ningún buen resultado.

El caso de Elena, figura central de *La hija de Celestina,* se evidencia contrario al anterior, puesto que Elena no se aficiona a una codicia exagerada, bien que demuestra cierto interés por el provecho desde su precoz adolescencia. La codicia de Elena no se exterioriza ampliamente hasta que la protagonista no alcanza cierta madurez de edad, y aún en esta época no pasa de ser un gusto que, aunque marcado, es bastante controlado y secundado por la gran astucia y buena suerte que la protagonista posee. En esta época, Elena se ocupa de acumular oro en grandes cantidades al desempeñar el papel de beata religiosa en compañía de su amante Montúfar y de la vieja Méndez, ya casi al final de la novela: «guardábanlo todo en oro» (p. 915). He aquí la codicia de Elena.

Por lo que respecta a Justina, la protagonista de *La pícara Justina,* su caso es también bastante diferente a los anteriores, pues a pesar de de que la heroína declara explícitamente su falta de interés por los bienes materiales, «... porque en toda mi vida ni otra hacienda hice ni otro tesoro atesoré, sino una mina de gusto y libertad» (p. 753), hay suficientes pruebas que ponen en duda la veracidad de esta declaración. Como ya se sabe, Justina se deja persuadir en parte por el dinero que ofrece el homicida de su padre para que no declare a las autoridades lo sucedido: «... y con esto nos obligaron, él con el dinero y mi madre con su mandato, a decir a la justicia que nadie le había hecho agravio» (página 745), y por otra parte, por el «mandato» de la madre. De más está decir que el dinero ejerce una influencia directa e indirecta a la vez, pues primeramente persuade a Justina y a la madre, y después la madre, influenciada también por el dinero, obliga a Justina a que haga caso.

Otra prueba de la codicia de Justina es el deseo de conservar el dinero que ella y los hermanos heredan y de no gastarlo en los funerales. Expresa la heroína apicarada que: «Del dinero que había en casa no osamos gastar nada en cosa de iglesia» (p. 749). Pero la prueba más convincente se presenta cuando la protagonista se disfraza de pordiosera y pide limosna a la entrada de una iglesia:

> ... y no hice poco acabar de levantar de eras, porque cada cuarto que me echaban era aceite en el fuego de mi codicia y clavo que me cosía de nuevo en el asiento donde estaba. Es verdad, cierto, que probé a levantarme más de cinco veces... ¡Válgate el diablo la codicia, cuál eres! (p. 804).

Notable es que la condicia de Feliciana, una de las figuras principales de *Las hapías en Madrid,* es ya evidente apenas el personaje literario entra en contacto con su rico pretendiente. Declara el narrador a propósito:

> ... ella no apartó los ojos de una rica sortija que tenía en el dedo menor de la mano izquierda. Era de un hermoso diamante de gran fondo... y atraía la vista de la dama que se prometió (codicia de su riqueza) hacer lo posible por ser dueña de él (p. 37).

Feliciana logra, finalmente, la adquisición de un cofre de joyas y dinero de gran valor, satisfaciendo de este modo su codicia: «... cargaron con el cofrecillo y con una maleta de vestidos» (p. 67).

Por otro lado, existen tres heroínas apicaradas que exponen menos fácilmente su codicia, pero esto no quiere decir que carezcan de ella. Luisa, otra de las «harpías», por ejemplo, logra estafar a su amante genovés de una enorme suma de dinero y joyas en compañía de su comitiva familiar (p. 102). Constanza, la tercera de las «harpías», le lleva al avaro cura mil quinientos ducados «en reales de a ocho» (p. 257). Ahora bien, por lo que respecta a la figura central de *La niña de los embustes,* a Teresica, se puede asegurar que dicho personaje acepta de su pretendiente «en una hora lo que su platero había trabajado en muchos días» (p. 257).

Y otras dos protagonistas, Flora y Cristina, presentan mucho menos condicia y ésta pasa a una posición secundaria en la acción novelística. Por ejemplo, Flora propone casarse por interés, pero es un interés vengativo más bien que monetario. Dice la protagonista de *La sabia Flora Malsabidilla:*

> ... perderé la acción que a tan ingeniosos renombres tengo si no le engañaré de modo que me vengue del desprecio que hizo de mi honestidad, haciéndole que se case conmigo después de tantas afrentas, para que con su propia honra se enmiende a la deshonra a que con sus engaños dio principio (p. 302).

En cuanto a Cristina, la figura central de *El coche mendigón,* por su parte, está obsesionada de poseer un coche en vez de un marido rico, dejando ver cierto interés por el dinero solamente al final de la novela (pp. 376-377).

En resumen, por lo que concierne a la codicia femeninopicaresca, tanto Flora como Cristina rompen con la norma establecida hasta ahora por la mayoría de las heroínas apicaradas en cuestión. Así, por ejemplo, Flora actúa estimulada por una especie de honra vengativa al contraer matrimonio con el indiano adinerado, mientras que Cristina por la obsesión de poseer un vehículo, aunque sea un coche de cierto lujo.

Hemos podido comprobar que la falsedad se manifiesta de varios modos, y en uno de éstos, en la mentira, se exhibe un gran número de participantes, diez en total; siguiéndole la infidelidad, que, sorprendentemente, presenta muchas menos contribuyentes, y pasando, después, a la ingratitud, con sólo cuatro participantes. Quizás otras cuatro heroínas adicionales se pudieran considerar en este último elemento componente de la falsedad; sin embargo, hemos decidido no incluirlas porque distan mucho de las otras anteriores en la ejemplaridad de dicho elemento. Y, finalmente, el cuarto elemento en la composición de la falsedad, la traición, sólo aparece de una manera convincente en cuatro de las heroínas de este estudio. Vale la pena señalar que sólo tres heroínas, Elena, Teresa de Manzanares y Rufina, son las mejores representantes de la falsedad apicarada por exhibir de una manera más ejemplar y constante los elementos componentes de dicha falsedad.

También hemos constatado que las mismas seis heroínas que acusan un alto grado de venganza —Teresa de Manzanares, Rufina, Elena, Flora, Teresica y Justina— acusan el mismo grado de crueldad. Asimismo, el cuarto y último elemento del cual se compone la propensión a la maldad picaresca, la codicia, presenta un altísimo número de heroínas apicaradas, nueve en total. Esto se debe a la gran importancia de este elemento determinante, pues recordemos que sin un elevado grado de codicia, secundada por una buena dosis de falsedad, la heroína apicarada no puede salir victoriosa en su lucha vital: la más fuerte sobrevive y la más débil perece, como hemos venido notando a través de este retrato.

El sentido de la libertad

Esta tendencia de la moral femeninopicaresca presenta ciertas manifestaciones que reflejan el anhelo constante de la pícara por lograr su autonomía [21]. Dichas manifestaciones se exteriorizan en las múltiples fugas, en las constantes mudanzas repentinas y en una gran movilidad física, que, añadiéndose a la gran cantidad de oficios y empleos, de nombres y apellidos, de maridos y amantes, al igual que a la pluralidad exagerada de transformaciones de identidad, acusan, respectivamente, y en su totalidad, un fuerte sentido de la libertad física y moral en la pícara seiscentista. Y como a consecuencia de lo que se acaba de expresar arriba, este apartado se divide correspondientemente en cinco partes que son las siguientes: las fugas, las mudanzas, los cambios de oficios y empleos, los cambios de nombres y apellidos y, finalmente, los cambios de maridos y amantes.

A. *Fugas*

Son ocho las heroínas apicaradas más representativas de esta costumbre, y hay que comenzar la discusión por Rufina, pues logra escaparse cuatro veces. La primera se produce a consecuencia del embuste que Rufina y Garay cometen contra un indiano avaro. Apunta el narrador de *La garduña de Sevilla*: «la hizo buscar por toda Sevilla, mas ya la tal moza se había puesto en cobro mudano tierra y llevándose el dinero del miserable viejo que con tanto afán le había adquirido» (p. 1548).

Pasemos ahora a la segunda y tercera fugas. Estas son originadas otra vez como medios preventivos contra la ira provocada en las víctimas de estafas monetarias. Bien que exista esta semejanza en el origen de las fugas, la tercera es bastante diferente en la ejecución y en el desarrollo de la misma, puesto que la víctima resulta ser un astuto

[21] J. A. van Praag: *op. cit.*, pp. 63-64.

ladrón, y Rufina se ve obligada a asegurar su escape de un modo adecuado para evitar una posible y severa represalia de la víctima burlada: «Escribió un papel al Corregidor, dándole en él razón de dónde y cómo se podían prender [la víctima y sus amigos], y con eso partiéronse de Málaga» (p. 1592). Notable es que Rufina usa para su beneficio la fuerza de la ley que debería perseguirla a ella, ocupando de esta manera las dos vías de represión que pudiera precipitarse contra ella: la justicia y la víctima. Esta conexión garantiza su escape.

La cuarta fuga se realiza con más calma y sosiego, ya que Rufina obtiene la guía celestinopicaresca de su marido don Jaime, mozo astuto y de buen porte. Apunta el narrador: «sabido de don Jaime, dando cuenta della a su esposa, le aconsejó que dejasen a Madrid, pues tenían dinero» (pp. 1617-1618). He allí las cuatro fugas de Rufina.

En cambio, Elena se escapa de la justicia sólo dos veces. La primera escapada es de una víctima de una estafa monetaria: «tomaron la puerta y tras ella el coche, guiando a Madrid» (p. 898). Bien que el perseguidor alcanza a la perseguida, Elena logra despistar a don Sancho con la ayuda de su belleza y otros atractivos físicos.

En la segunda ocasión, Elena se escapa otra vez a pesar de que la justicia se da cuenta a tiempo de la estafa de mendigantes. Comenta el narrador de *La hija de Celestina:* «Dentro de pocas horas entró la Justicia; y tomándola juramento a la criada, que conformó con lo que el otro testigo había declarado, preguntaron por los hermanos benditos y gloriosa madre de ellos. No les supo dar razón, aunque más fue importunada, porque no tuvo parte de su fuga» (p. 915). Pero anteriormente a la venida de la ley, Elena presiente una desgracia y aconseja a su amante que la secunde en una retirada preventiva. Leemos en esta oportunidad:

> Estaba Elena en casa y habíase hallado presente a la pesadumbre, y como tenía espíritu diabólico, recelándose de algún grave mal, aconsejó a Montúfar que recogiendo el dinero —pues por estar todo en oro se podía hacer con facilidad— se retirase con ella a casa de una amiga suya de confianza y con quien ella había siempre comunicado sus más escondidos intentos. Agradóle el parecer y ejecutáronlo con diligencia (p. 915).

Por lo que respecta a Teresa de Manzanares, su caso es totalmente diferente, pues, no obstante su probada picardía en *La niña de los embustes,* la protagonista no necesita fugarse de la justicia o de la víctima burlada más que una sola vez. Teresa prefiere esconderse por un tiempo, o cambiar de identidad con el disfraz, o abochornar a la víctima de tal modo que desista en su intento de castigar a la burladora. Explica la propia Teresa de Manzanares a propósito:

> Envió luego a un criado a darme aviso de cómo estaba, y como viese mi casa cerrada y que los vecinos le informaron de mi mudanza, volvió a decírselo a su afligido señor, el cual se dio por engañado, congojándose de tal manera, que le sobrevino una calentura, con que tuvieron en que entender los médicos y un diestro cirujano (p. 1383).

La única fuga verdadera ocurre hacia el final de la obra, después que Teresa de Manzanares comete dos burlas bien pesadas contra dos pretendientes. Comenta la narradora:

> Parecióme bien su acuerdo, porque quedar en Toledo era dar motivo a que los ofendidos hiciesen suertes en mí, y así nos dispusimos el escudero, las dos esclavas y yo a no dormir en toda la noche por salir esotro día de la ciudad con toda la prisa posible. Toda la noche se nos pasó en componer la ropa, y poco antes de amanecer salí con Marcela de embozo, y a los Mesones de la Sangre hallamos un carro manchego en que poder irnos a Madrid (p. 1420).

Por otro lado, las cuatro «harpías» suelen fugarse, disfrazarse y esconderse con mucho cuidado cada vez que realizan una estafa. Nos informa el narrador de *Las harpías en Madrid* con respecto a Luisa y su comitiva de familia:

> ... se pusieron en su coche, y en vez de salir por la calle de Alcalá a la prevenida fiesta, con las galas y joyas del genovés, acudieron a la custodia de ellas y a ponerse en salvo en una casilla de los barrios de Santa Bárbara, donde en diferente traje, se ostentaron a la vecindad, mudando luego Mogrobejo el encerado al coche y ocultando los caballos en parte secreta (p. 102).

La otra «harpía», Feliciana, escapa también con un botín de dinero contante: «... cargaron con el cofrecillo y con una maleta de vestidos de Feliciana, y por la puerta de la otra casa se pusieron con brevedad en casa de doña Estefanía, su amiga, que vivía cerca de allí» (p. 67). Es obvio que se repite la estratagema de fugarse, disfrazarse y esconderse de nuevo.

De más está decir que la tercera de las «harpías», Constanza, no se deja atrapar del cura que resulta burlado y estafado de mil quinientos ducados en reales de a ocho, pues «luego que vio el dinero en su poder, dejó la casa en que vivía, y con su dueña y escudero tomó el camino a Illescas, llevándose su moneda y joyas, dando a entender a los de casa que dejaba aquel cuarto por ser melancólico» (p. 136). Se repite la misma estratagema. Y, asimismo, la cuarta de las «harpías», Dorotea, se lanza a la fuga después de la estafa burlona que comete contra un pretendiente: «aquella noche había dejado el albergue y no se sabía de ella» (p. 178).

Y finalmente, Teodora, la próxima y la última heroína apicarada de este grupo, presenta un mínimo de movilidad: solamente se fuga en una ocasión en toda la novela. Es preciso destacar que la figura central de *La dama del perro muerto* se fuga para escaparse de sus burladores, pues no consigue en toda la obra ejecutar burlas contra sus pretendientes, sino que éstos las ejecutan contra ella. Lo resume así el narrador en la última página: «la aperreada Teodora, que, llorando sin esperar a su galán, aborrecida y desesperada, se embarcó en las galeras de Sicilia» (p. 89).

Como acabamos de verificar, siete de las heroínas apicaradas de este estudio presentan una fuerte inclinación a las fugas, las cuales son debidas a las burlas y estafas que estas heroínas cometen. Otra, Teresa de Manzanares, sólo ejecuta una sola fuga, y el resto, cuatro de entre ellas, y que no hemos incluido en este apartado, usan otro modo de defensa como vamos a observar ahora cuando tratemos de las mudanzas y, más adelante, de los cambios de identidad [22].

B. *Mudanzas*

Otra manifestación de la libertad física son las mudanzas de casa, posada, barrio o ciudad. Estas pueden ser obligatorias o voluntarias, y estas últimas casi siempre en busca de mejor fortuna. Teresa de Manzanares sufre cuatro mudanzas obligatorias al ser expulsada de diferentes hogares, comenzando por el suyo. Al morir el padre de Teresa, la madre aleja a la hija de su lado cuando le quita el puesto en la cama

---

[22] Nos referimos precisamente a Teresa de Manzanares y a sus cambios de identidad en el apellido: de Manzanares cambia a Manzanedo, después a Mendoza, y, finalmente, a Cisneros, además de los cambios de maridos, que producen otros sobreapellidos. Véase el apartado referente a los cambios de nombres y apellidos más adelante en este capítulo.

matrimonial y se lo da al primer amante de tránsito que se le presenta en el mesón. Observemos cómo lo deja indicado la protagonista de *La niña de los embustes:*

> ... acomodándome a dormir en la cama de mi criada, cosa que yo sentí en extremo, y aunque niña, bien se me traslució la causa porque se hacía aquella novedad conmigo, con lo cual tuve tanta ojeriza al huésped, que no le podía ver delante mis ojos, de suerte que su presencia me helaba en lo más sazonado de mi humor, y así, todas las veces que podía quedarme a dormir en casa de mis maestras, no iba a casa, acomodándome en la cama de una hija que tenía la una de ellas (p. 1350).

Más tarde, Teresa de Manzanares es expulsada de casa de una señora noble que la tiene en su hogar para su servicio y compañía: «no dejé de sentir verme echar de ella con tanta violencia, no teniendo culpa, llevélo con paciencia» (p. 1368). En cambio, la tercera y cuarta expulsión son causadas por desenmascaramientos públicos que sufre el personaje apicarado, Teresa, al ser descubierta en delitos de falsa identidad (pp. 1394, 1412).

La primera mudanza, casi voluntaria, de Teresa de Manzanares, se efectúa al morir la madre. La huérfana se va a casa de las maestras de labor; éstas la reciben cordialmente: «Hallé amparo en aquellas dos hermanas, mis maestras de labor» (p. 1351). Esta cordialidad persiste por tres años, pero al madurar la adolescente protagonista, sus necesidades aumentan y se transforman, produciendo en Teresa un gran anhelo de libertad personal, que no disfruta bajo la tutela de las maestras de labor. La protagonista decide liberarse de este control; afirma a propósito: «Yo estaba con tanto deseo de salir de la sujeción de las viejas, que me determiné a casar, aunque fuese con tantos años, y así el casamiento se trató secretamente, sin que ellas supiesen nada de él hasta que la misma noche que el novio me llevó a casa» (p. 1361).

Ahora bien, a pesar de lo que acabamos de presenciar, después del primer matrimonio, la viuda Teresa regresa a vivir con sus ancianas maestras otra vez; pero esta permanencia no dura mucho, porque la peregrina Teresa se lanza en busca de mejores horizontes. Comenta la propia protagonista:

> Con esto me hicieron determinar a dejar la Corte, asegurándome grande ganancia allí... Dispuse de mis ajuares... el dinero que tenía en los Fúcares lo acomodé en letras... salimos en dos mulos de Madrid, un sábado por la tarde, en la compañía de dos sacerdotes y un estudiante, que iban el mismo viaje (p. 1369).

Esta es la primera vez que Teresa abandona Madrid para visitar otras ciudades españolas. Llega a Córdoba después de un viaje muy accidentado y pone casa cerca de la plaza (p. 1376). Dicha permanencia no dura mucho, porque Teresa decide pasar a Málaga para ejecutar allí un gran embuste: «Como estaba en resolución de irme de Córdoba, en aquel mes que estuve retirada... Llegamos a aquella antigua ciudad...» (p. 1388).

Conviene añadir que la visita a Málaga no dura mucho tampoco, pues Teresa pasa a Granada, para seguir después a Sevilla, trabajando ahora en una compañía teatral ambulante. Al enviudar de su segundo marido, la protagonista se traslada a una casa en Sevilla: «Salí de la posada en que estaba y puse casa en los barrios del Duque» (p. 1404). Y aún durante el tercer matrimonio la movible Teresa de Manzanares cambia de barrio otra vez: «Mundamos de barrio, yéndonos a vivir cerca de San Agustín y de la puerta de Carmona» (p. 1406). Finalmente, al quedar viuda del tercer marido, Teresa decide aproximarse paulatinamente a Madrid e ir abandonando el sur de España. Señala la protagonista de *La niña de los embustes:*

> Parecióme hacer mudanza de Sevilla y acercarme a Madrid, aunque no entrar en él, y así dispuse mi viaje a Toledo, imperial ciudad, y una jornada de la corte de España (p. 1412).

Aparentemente, se cierra este ciclo de la peregrinación picaresca de Teresa de Manzanares por las ciudades del sur de España cuando el personaje literario regresa en definitiva a Madrid, cuna y patria de esta protagonista:

> Nací en la corte y volvíme a mi centro, con algún caudal granjeado ,no puedo decir que con buenos modos... Tomé casa en los barrios de San Sebastián, alegres por su sana vivienda como por estar cerca de los dos teatros de las comedias, y porque cerca de ellos viven los representantes y las damas de la corte; se llaman comúnmente barrios del placer. Allí alquilé una casa sola, bastante para mi corta familia (p. 1420).

Ahora bien, hacia el final de la obra, Teresa anuncia una segunda parte, iniciándola parcialmente con el cuarto matrimonio, ocasionando esto otra mudanza y un nuevo ciclo de peregrinación picaresca:

> Mudando de familia quise buscar en Madrid a Teodora en cuya casa me crié, y acudiendo a los barrios donde había habitado, supe haberse casado en Alcalá de

Henares... Parecióme hacer mudanza de Madrid e irme a Alcalá, adonde estaba mi amiga, y así la dispuse brevemente... (p. 1424).

El caso de Flora, la figura principal de *La sabia Flora Malsabidilla* —como el de «las hapías», ya adultas y en proceso de ejecutar su única o última estafa—, ofrece pocos detalles biográficos. No obstante esta carencia de datos sobre las mudanzas de Flora, existe suficiente documentación para señalar cierta movilidad en la vida de esta protagonista apicarada.

Claro que el primer mudamiento lo hace Flora de Cantillana, su aldea natal, a Sevilla, la ciudad más cercana (p. 300). El segundo se efectúa hacia la capital española al abandonar a Sevilla en busca de mejor fortuna: «Entré en esta Corte muy aprisa, y ella con el mismo paso se ha entrado tanto en mí, que nunca pareció haber estado fuera della según me dejé llevar de sus fueros y costumbres» (p. 301). En Madrid, Flora cambia de barrio cuando necesita mudar de identidad para engañar a su futuro marido: «Puse en pregón mis joyas y galas, y juntando el dinero me fue preciso dellas con el demás que yo tenía, mudé de barrio, el nombre propio, el apellido, las criadas y el traje» (p. 301). Al final de la novela, el recién casado marido pronostica una futura mudanza de Flora al indicar sus intenciones. Se señala lo siguiente: «volverme con ella a las Indias, donde pasará por mujer de la calidad que yo quisiera darla» (p. 497).

Las dos «harpías» Luisa y Feliciana, como ya hemos indicado anteriormente, no aparecen en la obra ni durante sus infancias ni adolescencias, lo cual limita mucho los informes biográficos. Ahora bien, a pesar de esta limitación informativa, Luisa y Feliciana exhiben claramente cuatro mudanzas en el transcurso de la acción novelesca. La primera ocurre después de la muerte del padre. Apunta el narrador de *Las harpías en Madrid* a propósito:

Estimó en mucho Teodora los consejos de la anciana; y con su persuación mudó de intento y enderezó proas a Madrid, esperando con los advertidos documentos que le prometió, verse de buena venjura *[sic]*, y así acomodando su ropa en un carro de los del ordinario de Sevilla, y así mismo sus personas, se pusieron en camino a Madrid, no olvidando de llevar la instrucción de la taimada amiga suya (página 10).

Evidentemente, una vez llegadas a la capital española, las hermanas deciden cambiar de alojamiento: «Aquella noche durmieron allí, aunque incómodamente, y el siguiente día se mudaron a una posada de las buenas que tiene la calle de la Espada» (p. 13). De más está decir que este nuevo domicilio no satisface a las dos mozas ni a la madre tampoco, pues deciden volver a mudarse lo antes posible. Explica el narrador de la obra:

> Cuando en una buena casa vieron que un papel fijo en su puerta, daba razón de como en ella se alquilaba el cuarto más principal... con esto se apearon, y pidiendo las llaves de él, en un cuarto bajo que a la entrada había, subió a él una criada a mostrársele; no era la casa grande y así el cuarto era acomodado para lo que doña Teodora había menester (p. 15).

Y, por último y en resumen, estas dos heroínas se separan independientemente una de la otra para ejecutar mejor las estafas monetarias. Cada mudamiento va de acuerdo con la maquinación de la estafa proyectada, produciendo diferentes modos y formas en la ejecución de la mudanza. Luisa, por ejemplo, se acerca a su futura víctima amorosa, un viudo verde, mudándose a una casa abalconada, justamente enfrente de la otra, para ser lo más vista y estar lo más cerca posible del viudo y, al mismo tiempo, mantener una distancia aparente y decorosa que su nueva posición social de recién viuda requiere: «Enfrente de la posada de éste (cuyo nombre era César Antonio), tomó cuarto nuesrta sevillana. Era el principal de ella con balcón a la calle; el traje con que quiso entrar fue de viuda, al modo de éstas que enjugan brevemente el llanto de sus difuntos esposos» (p. 72).

En cambio, Feliciana escoge otro procedimiento en su mudanza que, como acabamos de indicar en el párrafo anterior, va de acuerdo con su futura estafa. En vez de escoger casa aparte, Feliciana se introduce directamente en el domicilio de su futura víctima, fingiendo un gran desespero: «le agradeció mucho la dama el favor que le hacía, y confiada en su promesa aceptaba su posada por el tiempo que se ofreciese estar allí para su seguridad, lo cual hacía con la confianza que le daba su persona» (p. 37). Como se puede observar, la protagonista se instala en seguida en su nueva casa.

En cuanto a las otras dos hermanas, Constanza y Dorotea, figuras principales de *Las harpías en Madrid,* el caso de ellas es bastante parecido al anterior, pero los informes biográficos son aún mucho más escasos. La única mudanza que se conoce de Constanza se efectúa sin tanta pompa, pero el uso del coche sigue siendo un requisito esencial en estas heroínas que aparentan siempre ser damas principales de cierta posición social. Se comenta lo siguiente:

> ... se metió en el coche que, mudando de cubierta y de caballos y cochero, pudo entrar en Madrid sin refrescar memorias de haberse visto jamás pasear sus calles; tomó cuarto en los barrios de la Merced, de donde, en su coche, había de salir a hacer su presa... Puesta su casa en forma, dio principio a su engaño (p. 106).

Recordemos que la mudanza de Dorotea, como la de las otras tres «harpías», se efectúa siempre dentro de Madrid, cambiando solamente de barrio y disfrazando el exterior del mismo coche. Explica el narrador:

> Volvió el coche a mudar pellejo y tiro de caballos, y asimismo, cochero, y con otro nuevo se tomó cuarto en Madrid en los barrios de Antón Martín, por diferenciar de los otros que habían vivido, y después de haberle tomado y que fuese principal arrimado a una cochera, con un nuevo escudero que tomaron (p. 140).

Por otro lado, Rufina, la protagonista de *La garduña de Sevilla,* acusa una sola mudanza voluntaria en todas la obra, y ésta se efectúa después de haber exhibido muchas fugas como acabamos de observar anteriormente. Pues bien, al quedar Rufina viuda de su primer marido, hace mudanza. Se cita lo siguiente: «con esto le fue fuerza mudar de habitación en diferentes barrios y en casa más barata de alquiler, pues su caudal no era para pagar la que tenía» (p. 376). He aquí la única mudanza de Rufina.

En cambio, el caso de Cristina es único entre todas, pues el narrador de *El coche mendigón* nos informa de las mudadas de Cristina de una manera general, omitiendo toda particularidad y detalles. Se dice simplemente que: «Muchas fueron éstas, porque siempre que mudava [sic] casa, que no eran pocas...» (p. 376).

Acabamos de comprobar que una gran cuantía de estas heroínas apicaradas, ocho en total, acusan mucha actividad en las mudanzas. Se comienza por Teresa de Manzanares, que logra hacer de las numerosas mudanzas una extensísima gira por el sur de España para regresar a la capital española hacia el final del material novelado, hasta llegar a Rufina, que logra una sola mudanza a pesar de las múltiples fugas como acabamos de observar en el apartado anterior, y se termina por Cristina que, al parecer, es una gran participante de esta costumbre de mudanzas. Por consiguiente, se puede concluir asegurando que la pícara seiscentista acusa un cambio casi constante de domicilio bajo la influencia de las fugas y mudanzas. Dichos cambios intermitentes se deben, en gran parte, a la necesidad de esconder su verdadera identidad para su propia protección y también para satisfacer el deseo de ser libre. En ello, podemos decir que se iguala y aun supera al pícaro. Esta gran movilidad física que hemos observado facilita también el ascenso económicosocial de la pícara [23].

C. *Cambios de oficio y empleos*

Ya se ha tratado a fondo este tema en el segundo capítulo teniendo en cuenta, esencialmente, el bienestar socioeconómico que dicha cuantía de oficios y empleos representa. Nuestro interés, en este momento, se dirige simplemente a señalar la movilidad física que este cambio continuo de oficios y empleos produce por su frecuencia.

Teresa de Manzanares, en *La niña de los embustes,* desempeña muchísimos oficios y empleos. La heroína literaria es mozuela de mesón, cantante y recitadora de chistes, confidente y alcahueta, peluquera y peinadora, médica y alquimista, cantante de teatro, dama buscona y cortesana. Son doce en total. Conjuntamente, la otra heroína, Justina, en *La pícara Justina,* desempeña también muchos oficios y empleos al ser moza de mesón, limosnera, prostituta, confidente, médica, dama de compañía, enfermera y buscona. Son ocho en total.

Sin embargo, hay otras tres heroínas apicaradas que presentan menos diversidad. Elena, en *La hija de Celestina,* es prostituta adolescente, dama buscona, limosnera beata y prostituta cortesana. Teresica, en *El escarmiento del viejo verde* y *La niña de los embustes,* es fregona y ayudante de cocina, dama buscona y prostituta. Rufina, en *La garduña de Sevilla,* es prostituta, dama buscona y alquimista, solamente.

Ahora bien, el resto de las protagonistas que venimos retratando consta de siete heroínas que presentan mucho menos diversidad. Cristina, en *El coche mendigón,* es dama de compañía, limosnera y alcahueta. Flora, en *La sabia Flora Malsabidilla,* es prostituta y dama buscona, mientras que Teodora, en *La dama del perro muerto,* es prostituta cortesana únicamente. Y finalmente las cuatro «harpías», Feli-

---

[23] Véase el apartado que trata del ascenso socioeconómico en el capítulo II.

ciana, Luisa, Constanza y Dorotea, sólo son damas busconas o cortesanas.

Como queda señalado, la pícara seiscentista muestra una mudanza frecuente de oficios y empleos lo mismo que su congénere exhibe un cambio frecuente de amos, reflejando ambos personajes un vivísimo deseo por la libertad de movimiento aunque de forma bien diferente [24]. Este afán por la libertad se percibe también en la pícara a través de sus transformaciones de identidad por medio de cambios de nombres y apellidos. Nos ocuparemos de dicha cuestión en el siguiente apartado.

D. *Cambios de nombre y apellidos*

Indudablemente, existe una fortísima tendencia hacia la mudanza de identidad. Esta mudanza, o mejor dicho, este enmascaramiento, es físicamente necesario para la concepción de la pícara seiscentista, porque permite que estas heroínas escapen de la ley o de la víctima burlada. También presenta un aspecto puramente mental, ya que acusa un deseo de escape de la realidad cotidiana y una búsqueda constante de la identidad personal. Eso se revela exteriormente en los cambios de nombres y apellidos como vamos a presentar ahora en este apartado.

Pues bien, la primera heroína, Teresa de Manzanares, empieza a manifestar esta inclinación por la transformación de la identidad al cambiar de apellido aún antes de casarse por primera vez: «yo no tengo de negar a vuesa merced quién sea mi padre; era un caballero de Burgos que se llamaba don Lope de Manzanedo...» (p. 1361). Y más tarde, agrega a propósito: «Veme aquí el señor lector, mujer de casa y familia, y con un retumbante *don* añadido a la Teresa y un apellido de *Manzanedo* al *Manzanares*» (p. 1362) [25].

Vuelve Teresa a cambiar de apellido cuando se casa por tercera vez, pasando de Manzanedo a Mendoza. Dice la protagonista de *La niña de los embustes:* «quiero que entendáis que yo me llamo Teresa de Mendoza, viuda de don Alvaro Osorio» (p. 1410). Pero el cambio de iden-

---

[24] Joseph Virgil Ricapito: *Toward a Definition of the Picaresque: A Study of the Evolution of the Genre Together with a Critical and Annotated Bibliography of La vida del Lazarillo de Tormes, Vida de Guzmán de Alfarache, and Vida del Buscón,* Ann Arbor (Michigan): University Microfilms, 1967, pp. 482-483.

[25] El subrayado es mío.

tidad más perfecto que ejecuta Teresa de Manzanares, es cuando se disfraza de argelina y logra pasar por otra persona, mudando de nombre y apellido por medio de un documento falso. Véase el siguiente pasaje:

> Certifico yo, Galcerán Antonio, notario de esta ciudad de Valencia, que a la playa de ella, en lugar que llaman el Grao, arribó una barca con treinta y seis personas, que en ella dijeron haberse escapado tres días había en la ciudad de Argel, donde estaban cautivos en poder de los infieles, entre los cuales venía doña Feliciana de Mendoza y Guzmán, que dijo ser nacida en la ciudad de Málaga, hija del capitán Sancho de Mendoza y de doña Leonor de Guzmán, a donde fue cautiva de edad de cinco años con dos criadas de su madre, a petición de la cual, he dado esta certificatoria signada de mi signo y firmada de mi nombre, y asimismo comprobada por tres notarios de la misma ciudad, en que certifican mi legalidad (p. 1389).

Es curioso notar que, de este enmascaramiento argelino, Teresa de Manzanares extrae el apellido de Mendoza que va a usar más tarde por toda la obra, pero abandona el ficticio nombre de pila de Feliciana y restituye el suyo propio de Teresa. Afirma la protagonista: «... me llamo Teresa de Mendoza, viuda de don Alvaro Osorio», como acabamos de observar anteriormente.

No obstante esta aclaración de identidad, no debemos confundir a Teresa de Manzanares con Feliciana, una de las figuras centrales de *Las harpías en Madrid,* pues también esta última sufre varios cambios de apellidos. El primero lo realiza su madre, doña Teodora, la guía maquinadora de las cuatro «harpías». Pues bien, Feliciana cambia su identidad al llegar a Madrid y ser aconsejada por la astuta madre. Así lo explica el narrador:

> Faltábale a Teodora el dar apellido a sus hijas y aun el tomárselo ella, que es una de las importantes circunstancias que le advirtió la vieja, y acordándose de las nobles casas de los señores de España se puso a escoger como en peras; y así quiso que su mayor hija se llamase doña Feliciana de Toledo, apellido que quiso que le viniese por línea masculina traído arrastrado por los cabellos de la casa de Alba (pp. 12-13).

Y más tarde, Feliciana de Toledo se muda el apellido de nuevo al describir sus antepasados. Afirma a propósito que: «Don Lope Zapata y Meneses, del hábito de Calatrava, fue mi padre, hijo segundo de don Bernardo Zapata y Meneses, del mismo hábito...» (pp. 43-44). Tampoco pasa por alto la mudanza de su nombre de pila, pues en otra ocasión, la llama un personaje de la obra: «mi señora doña Blanca» (p. 49); agregando después el mismo personaje: «... Mi señora doña Blanca... yo lo pagaré con pesares» (p. 61).

Entre las otras protagonistas que exhiben menos frecuentemente la mudanza de nombres y apellidos, se encuentra por primera, Luisa, la hermana de Feliciana. Como acabamos de observar con anterioridad, doña Teodora, la madre de las dos «harpías», decide darle a cada hija un pellido diferente, prefiriendo otorgarle a su hija Luisa el de su abuelo materno: «Restaba que del suyo se derivase el de su hija doña Luisa y así aplicó el de Cardona, con perdón del duque» (p. 13). Y más tarde, cuando Luisa ejecuta la estafa contra César Antonio, el viudo verde, la protagonista se cambia por cuenta propia el apellido y también el nombre de pila: «le dijo ser una señora de Zaragoza, llamada doña Angela de Bolea, que había sido casada con un gran caballero de aquella ciudad; su venida a la Corte era...» (p. 74).

Otra heroína apicarada que pertenece a este grupo es Constanza, pues solamente se cambia de nombre y apellido una vez. Declara una de las protagonistas de *Las harpías en Madrid:*

> Yo, señor mío, soy natural de Sevilla: allí nací de nobles padres, con el apellido de Monsalve, mi madre doña Mencía de Saavedra, y a mí, única hija suya, me llaman doña Rufina de Monsalve y Saavedra (p. 109).

Lo mismo sucede con Flora, la figura central de *La sabia Flora Malsabidilla,* pues se cambia el nombre de pila y el apellido solamente una vez, pero logra un cambio total de identidad. Explica la propia protagonista a propósito:

> Puse en pregón mis joyas y galas, y juntando el dinero que fue preciso dellas con el demás que yo tenía, mudé de barrio, el nombre propio, el apellido, las criadas y el traje (p. 301).

A pesar de que Rufina, la protagonista de *La garduña de Sevilla,* ejecuta varias travesuras apicaradas durante su vida, solamente una vez se cambia de nombre al ejecutar la primera de sus estafas. En la siguiente declaración amorosa, Rufina se transforma en Teodora, como vamos a notar ahora en este fragmento de la obra:

> Dichoso el día, la hora y punto en que mis ojos, reconociendo mi casa, se emplearon en tu vista, hermosa Teodora, pues de tan buen empleo ha resultado el conocimiento de tantas perfecciones y tan consumadas gracias (p. 1543).

Además de lo antedicho, existe otra tendencia en esta mudanza de nombres propios y apellidos de la pícara seiscentista, pues se observa la contribución, de parte del mismo narrador, en crear una multiplicidad de apodos y frases epitéticas que caracterizan a estas protagonistas apicaradas. Dichos apodos aparecen siempre en el mismo título de la obra, por ejemplo, Francisco López de Ubeda, llama a su protagonista Justina, «la pícara Justina»; Alonso J. de Salas Barbadillo llama a Elena, «la hija de Celestina»; a Teresica, «la niña de los embustes»; a Teodora, «la dama del perro muerto»; a Cristina no le da ningún sobrenombre ni epíteto en el título. Sin embargo, a Flora la llama, «la sabia Flora Malsabidilla», en el título de la novela. Y Alonso de Castillo Solórzano llama a Luisa, Feliciana, Constanza, y Dorotea, «las harpías en Madrid»; a Teresa de Manzanares, o Manzanedo, o Mendoza, «la niña de los embustes», de la misma manera que se conoce a la otra Teresa, anterior y de otro autor, de Salas Barbadillo; y finalmente, a Rufina la llama, «la garduña de Sevilla» [26].

Volvemos a comprobar la gran movilidad de estas heroínas apicaradas. Dicha movilidad se manifiesta, esta vez, por medio del cambio de nombres y apellidos, y, en cuyo cambio, se observan dos tendencias, una depende de los cambios de identidad por cuenta propia de la protagonista, y la otra por cuenta propia del autor. En esta última, los cambios nominales aparecen en los títulos de las obras correspondientes. En el primer grupo, tenemos seis contribuyentes que exhiben esta tendencia de cambiarse los nombres y apellidos voluntariamente; en el segundo grupo, tenemos la sorprendente cuantía de once. Sólo una protagonista literaria, Cristina, no recibe ningún apodo ni epíteto de parte del autor. Es curioso notar que esta multiplicidad de apodos aparece siempre en el título de la obra correspondiente.

Ahora bien, debe tenerse en cuenta que, paralelamente a dicha evidente pluralidad de nombres, sobrenombres y apellidos, aparece otra tendencia a la movilidad de la pícara seiscentista: los frecuentes cambios de maridos y amantes, tema del próximo apartado.

---

[26] Para más informes acerca de estas obras véase la introducción de este estudio.

E. *Cambios de maridos y amantes*

Para facilitar el estudio de los cambios de maridos y amantes, vamos a dividir las doce heroínas apicaradas en cuatro grupos que van de acuerdo con la frecuencia de los cambios correspondientes, incluyendo primero las contribuyentes más fuertes y después las más débiles.

Analicemos más de cerca estos cambios comenzando por Rufina y Teresa de Manzanares, las dos participantes del primer grupo. Rufina presenta un total de ocho cambios, dos de maridos y seis de amantes, siendo la primera de este grupo en importancia. Pues bien, Rufina, la figura central de *La garduña de Sevilla,* contrae matrimonio a poca edad con un hombre mucho mayor pero dispuesto a todo ya que «en ocho días que se trató de su consorcio, se vio dueño y esposo de toda aquella hermosura. Era buena persona y muy amigo de la honra, y así cargó con mujer y suegro (p. 1530).

El segundo marido de Rufina es un hermoso y joven galán del cual recibe anteriormente su cariño durante la época que este personaje es su amante secreto: «Rufina y su amante, escondidos de los ojos de Garay, a lo menos ella, vivían en Madrid casados, porque luego que llegaron se hizo la boda» (p. 1613).

Con respecto a los amantes, Rufina demuestra tener seis en el transcurso del tiempo que abarca la acción novelesca, comenzando en su pubertad precoz hasta llegar a su madurez; pero durante la adolescencia, Rufina parece tener ya una gran cantidad de pretendientes por gozar de mucha libertad: «Con las ausencias que hacía de su casa Trapaza comenzó su hija a tener libertad para dejarse ver a la ventana y ser vista, de suerte que, a la fama de su hermosura, ya frecuentaban la calle muchos pretendientes» (p. 1530). Sin embargo, no obstante el éxito del atractivo físico, Rufina no consigue tener ningún amante serio hasta después de casada por primera vez, aprovechando la ocasión para gozar las relaciones de dos amantes simultáneamente durante esta época: Roberto y Feliciano. Después de estos dos amantes, Rufina enviuda de su primer marido y se lanza de lleno a la vida libertina, seduciendo fácilmente a los hombres: «Sintió Marquina, ya medio amartelado, que la estada de Rufina en su quinta fuese por tan breve tiempo, que quisiera fuera por mucho» (p. 1538).

El cuarto amante que logra conseguir la heroína apicarada es un genovés rico, Octavio Filuchi, que se enamora de la protagonista, brindándole su casa de primera intención: «le ofreció un jardín y casa que estaba en la verde margen del claro Guadalquivir» (p. 1563), en cuyo lugar pasa Rufina una temporada bajo la protección de su amante. Más tarde, Crispín, el ladrón que se disfraza de ermitaño, se deja capturar por la belleza de Rufina. Y el último amante es don Jaime, pues logra seducir a la heroína: «Rufina se descuidó y don Jaime se halló favorecido della del todo» (p. 1599). Debemos añadir que no es solamente la belleza de Rufina lo que seduce a don Jaime, pues la mentira sobre el origen noble ayuda notablemente a crear un ambiente propicio para este episodio amoroso.

La otra protagonista de este primer grupo es Teresa de Manzanares, la que llega a casarse cuatro veces en el transcurso de la novela. El primer matrimonio lo contrae con Lupercio Saldaña, hombre mayor pero de mejor posición económica que la huérfana Teresa. Explica la narradora de *La niña de los embustes:*

> Reparaba yo mucho en la edad, porque tenía más de setenta años, aunque se mandaba bien y estaba ágil; mas la amiga me dijo cuán rico estaba, cuán apacible era, y lo que me regalaría... me determiné a casar, aunque fuese con tantos años, y así el casamiento se trató secretamente (p. 1361).

Después que Teresa enviuda de su primer marido, es su amante de la adolescencia, Sarabia, el que se convierte en su segundo marido: «Con la continuación de visitarme Sarabia... paró todo en matrimonio, persuadiéndome él a que nos casásemos» (p. 1395). Sin embargo, a pesar de que Teresa no es feliz en sus primeros dos matrimonios, por los celos infundados del primer marido, y la rufianería del segundo, decide casarse por tercera vez con un indiano adinerado y recién llegado de la América. Señala la narradora y protagonista de la obra:

> Otra vez casada, estando bien ajena de verme la tercera en aquel estado, y así nadie diga mal del día hasta que pase... No quise dejar pasar tan buen enlace y perderle, y así mismo bodas se hicieron con mucha solemnidad, hallándose a ellas muchos amigos del indiano (p. 1405).

Debemos aclarar que, a pesar de todas las explicaciones que aparecen en esta novela, no se conocen muchos datos del cuarto matrimonio de Teresa de Manzanares, ya que la protagonista nos presenta este suceso como introducción a una segunda parte, en la que este cuarto matrimonio y futuros hijos van a constituir el tema central de la obra: «Para la segunda parte remite contar las vidas de todos» (p. 1424). Si bien es cierto que Teresa anuncia su próximo matrimonio, no es menos cierto que no va a ser feliz: «concertó mi boda con el tal mercader. Hubo en ella gran fiesta; pero duró poco, porque me empleé en el hombre más civil y miserable que crió la naturaleza» (p. 1424). Estos son los matrimonios de Teresa.

Conjuntamente, pasemos a los pretendientes amorosos y amantes. Sarabia es el primer pretendiente que es correspondido por la adolescente Teresa: «El despejo con que dijo esto ocasionó un cuidado en mí, que desde aquel día quise bien a aquel hombre, teniendo ya celos» (p. 1355). En el segundo encuentro con Sarabia, Teresa de Manzanares expone más claramente su intención amorosa, prometiéndose ya favorecer al amante en el futuro. Como es de esperar, Sarabia insiste en continuar sus pretensiones amorosas, aún después que Teresa se casa por primera vez; y es precisamente ahora que llega la oportunidad deseada por el galán en satisfacer sus deseos, puesto que la protagonista está casada con un setentón y necesita favorecer a Sarabia para mitigar sus penas.

El segundo amante de Teresa de Manzanares es un noble que se afecciona al lucimiento y a la hermosura de la protagonista, que en esta época se gana la vida cantando y actuando en una compañía teatral en Granada: «comencé más afable a dar audiencia al príncipe, el cual comenzó a cuidar de mí por lo mayor, gastando conmigo largamente... Queríame bien» (p. 1396). Al parecer, Teresa se procura siempre un amante y un marido simultáneamente, pues cada vez que contrae matrimonio entra en relaciones amorosas con otro. Pues ahora, durante el tercer matrimonio, acepta la galantería de don Sancho, un amate joven y atractivo que es todo lo opuesto a su tercer marido. Dice la protagonista en esta ocasión:

> El que hablaba conmigo estaba desosísimo de verme, habiéndome ya oído... Por la orden del escudero nos escribíamos, y don Sancho instaba en sus papeles mucho que le enviase un retrato mío, que éste le sería su consuelo, pues no le podía tener con mi vista (p. 1406).

Al enviudar de su tercer marido, Teresa continúa las relaciones amorosas con don Sancho, con quien espera casarse. Teresa se engaña completamente. Entonces decide trasladarse a Toledo, donde consigue entablar relaciones con otro pretendiente (pp. 1412-1418). Debemos notar que el propósito de estas relaciones es bien diferente al anterior, ya que Teresa no espera contraer matrimonio con este nuevo galán sino obtener un gran beneficio por medio de una embustería femeninopicaresca.

Como acabamos de notar, Rufina y Teresa de Manzanares, logran tener cada una un mínimo de ocho consortes que entran en la categoría de maridos y amantes. Rufina exhibe dos maridos y seis amantes, mientras que Teresa de Manzanares los divide con igualdad numérica en cuatro y cuatro, respectivamente.

Las heroínas apicaradas del segundo grupo son cinco en total y presentan una disminución evidente en el número de maridos y amantes. Por consiguiente, debe tenerse en cuenta que esta carestía de consortes duraderos en el caso particular de la figura principal de *La hija de Celestina,* se debe en gran parte a la enfermeridad de su vida: Elena muere en mano de la justicia a los veinte y tantos años de edad, sin poder llegar plenamente a una madurez comparable a la de las otras protagonistas que abarca este retrato. No obstante esta limitación en la duración de la vida de Elena, la joven heroína llega a disfrutar los placeres de una vida libertina. Para lograr esto, su único y primer marido se compromete a satisfacerla en lo más posible: «Obligóse Montúfar, cuando se dio por esposo de Elena, a llevar con mucha paciencia y cordura —como marido de seso y, al fin, hombre de tanto asiento en la cabeza— que ella recibiese visitas» (p. 916).

Recordemos que Montúfar pertenece a una especie de marido rufián muy particular, pero a pesar de ello, hay que incluirlo en la categoría de marido. El caso es parecido al de Sarabia y Teresa de Manzanares. Consecuentemente, no obstante la evidente disminución en los consortes, Elena consigue contrarrestar esta deficiencia, exhibiendo un vasto número de pretendientes durante su precoz adolescencia. Apunta la propia protagonista:

> Ya yo era mozuela de doce a trece años y tan bien vista de la corte, que arrastraba príncipes golosos de robarme la flor, me prestaban coches, dábanme aposentos en la comedia, enviábanme en las mañanas de abril y mayo almuerzos, y las tardes de julio y agosto meriendas, al río (p. 901).

Por las razones expuestas en el fragmento anterior, hay que considerar a estos pretendientes anónimos como clientes de una prostitución adolescente. Sin embargo, uno se destaca más que los otros dos, porque se enamora perdidamente de la adolescente protagonista a causa de una brujería que le lanza la madre: «Este fue el galán más asistente que tuve: porque mi madre envió un día, valiéndose de sus buenas artes, en un regalo que le presentó bastante pimienta, para que se picase de mi amor toda su vida; andaba el hombre loco» (p. 901).

El ya mencionado Montúfar, es el único que entabla una larga amistad y amorío que comienza desde el principio hasta casi la conclusión de la novela, siendo primero amante y después marido. Y finalmente, el último amante de Elena es Perico el Zurdo, un personaje mal visto por Montúfar desde el principio de las relaciones amorosas. Así lo describe el narrador:

> «Vio que Elena admitía la conversación de un mozuelo inútil, destos que toman siempre a la una de la noche pesadumbre con las esquinas y juran después, a la mañana, que las mellas que hicieron a sus espadas procedieron de dar muchas enchilladas en los broqueles de su contrario (p. 917).

Perico el Zurdo deviene el verdugo casual de ambos, pues le ocasiona la muerte a Montúfar y el patíbulo a Elena.

Flora, la segunda heroína literaria de este grupo, y la figura central de *La sabia Flora Malsabidilla,* se casa solamente una vez pero tiene dos amantes. Notable es que el primer amante es un sevillano rico que llega a la ruina económica por ser demasiado dadivoso con su amada andaluza (p. 300). Seguidamente, Flora se traslada a Madrid y entabla relaciones duraderas con un ministro de la corte, llevando una buena vida de placeres por un largo período. Así lo explica la narradora de la obra:

> ... en ella elegí la amistad de un hombre, ministro en la ocupación, creso en la riqueza y Alejandro en el ánimo. Su amistad rectada y atenta me difamó poco, me fructificó mucho: estuve en su obediencia tres años, hasta que la muerte arrebató con brevedad un hombre que, siendo pecador libre en ofensa del cielo, era tributario mío en servicio del infierno (p. 301).

Después de estos dos amantes, Flora se lanza a la lujuria traviesa y goza los favores de muchos pretendientes, pero sin entablar largas relaciones con ninguno: «Dejéme llevar luego de la travesura golosa de algunos lucidos mozuelos, y hecha pasta común, a todos serví con mis deleites, de todos recibí satisfacciones» (p. 301). Pero es después de este período erótico que la protagonista decide renovarse y resuelve contraer matrimonio con Teodoro, el antiguo pretendiente vanidoso recién llegado de las Indias, que descubre demasiado tarde la identidad de la astuta picarona literaria. Apunta el narrador:

> Si lo fuere ya está hecho; no hay sino tener prudencia y silencio; volverme con ella a las Indias, donde pasará por mujer de la calidad que yo quisiere darla, que verdaderamente yo estaba tan enamorado, que esto no podía tener otro remedio para mi remedio (p. 497).

En cuanto a Justina, otra heroína apicarada que pertenece a este segundo grupo, se puede asegurar que, a pesar de su evidente desinterés amoroso a través de la novela (pp. 839 y 874-877), dicha protagonista logra casarse hacia el final del material novelado. De más está decir que, la figura central de *La pícara Justina,* sufre una gran metamorfosis erótica que la impulsa vertiginosamente hacia su futuro marido. El narrador explica esta atracción tardía entre Justina y Lozano de esta manera:

> ... me casé con un hombre de armas, a quien yo había nombrado curador y defensor en los negocios de mi partija. Este hombre de armas me armó, y si quieres saber cómo fue, no digo más, sino que me miró y mirele... mas luego que le quise bien nunca tuve palabras (p. 878).

Además de lo antedicho, es justo asegurar que Justina exhibe un gran número de pretendientes amorosos por toda la obra. Sin embargo, su actitud alocada, y a veces mal interpretada, produce reacciones adversas a las realizaciones amorosas. Señala la protagonista de *La pícara Justina* a propósito:

> Yo que le sentí el humor y adiviné de qué pie cojeaba el muy licenciado, díjele muy de prisa: —¡Señor Araujo! ¡Ce, ce! ¿No oye? Escuche, escuche. ¿No sabe? Estése quedo no haga ruido... sepa que después que se acostó han venido un montón de huéspedes, ... Ahí junto a su cama está uno, y dice que es muy pariente mío... (p. 839).

Por otra parte, en el caso de Teresica, se saben pocos detalles de su infancia, pero no obstante esta limitación informativa, se le conocen tres pretendientes en las dos novelas donde aparece, *El escarmiento del viejo verde* y *La niña de los embustes,* y también un marido al final de la segunda obra. El marido, nos informa el narrador, es hijo de un rico mercader: «mozo recién heredado bonito de talle y abogado de entendimiento, que estaba della muy enamorado... se casó con ella, a pesar de todo su linaje» (p. 274). Pero este matrimonio no dura mucho y Teresica enviuda a los treinta días de casada, hallándose libre otra vez para seguir ejecutando fechorías: «el novio murió a un mes de desposado» (p. 274).

Aunque no existen informes detallados sobre los amantes de Teresica, hay que suponer la existencia de un vasto número de ellos de poca durada, según la opinión del narrador:

> ... quedó bastante medrada en hacienda y tan bien industriada, en todos los pasos de la malicia, que sabía muy bien cómo, dónde y a quién se habían de poner las celadas y asechanzas para conseguir felices victorias; porque, aunque sus años no pasaban de diez y seis, sus engaños eran tantos que no se sujetaban a un número conocido (p. 254).

Luisa, la última heroína apicarada de este grupo, no muestra ningún marido sino solamente dos amantes en toda la obra. Don Fernando le declara a la astuta doña Teodora, madre de Luisa, sus deseos e intenciones amorosas con extrema precisión y claridad: «porque mi designio sólo se enderezó a servir a mi señora doña Luisa, de modo que por firme y generoso mereciese llegar al fin de mis deseos con los vínculos del amor, no del matrimonio...» (p. 21). Fernando se convierte en un generoso amante de Luisa, regalando a toda la familia hasta el punto de llegar a mantenerla.

Y por fin, un genovés rico y entrado en edad, que cae en la trampa amorosa que le tejen la hija y la madre, es en realidad un pretendiente y no un amante, puesto que no goza los favores de Luisa. Este ricacho es simplemente la víctima de una estafa o burla amorosa de la protagonista.

El tercer grupo lo componen tres heroínas simultáneamente, pues es imposible categorizarlas en orden de importancia según los cambios de maridos y amantes. Se trata de las restantes tres «harpías», Feliciana, Constanza y Dorotea, las cuales manifiestan similarmente un solo cambio de amante en exactamente las mismas circunstancias.

Y por último tenemos el cuarto grupo que consta de dos heroínas, Cristina, la figura principal de *El coche mendigón* y, Teodora, la protagonista desafortunada de la obra conocida por *La dama del perro muer-*

to. Ambas heroínas acusan una ausencia alarmante de amantes y maridos durante la acción novelística.

Definitivamente, se puede concluir este análisis de los cambios de maridos y amantes, asegurando que la mayoría, siete en total, de las heroínas apicaradas, presenta una gran movilidad en el campo amoroso, sobre todo, si nos fijamos en la gran actividad que exhiben las dos del primer grupo, Rufina y Teresa de Manzanares. También vale la pena tener en cuenta que, otras tres heroínas apicaradas, las del tercer grupo, Feliciana, Constanza y Dorotea, presentan un solo amante a causa de la brevedad temporal del relato novelado, pues el autor se ocupa de narrar un solo incidente apicarado en un tiempo limitado de la vida de estas tres protagonistas de la obra, *Las harpías en Madrid*. En resumen, se puede afirmar que esta gran movilidad, que se refleja en los cambios de maridos y amantes de la pícara seiscentista, es necesaria para asegurar su libertad personal.

Por consiguiente, del anterior apartado se puede deducir que la pícara seiscentista disfruta de una autonomía personal que adquiere por modos varios y, esencialmente, diferentes a los que emplea su congénere, el pícaro. Dicha autonomía femeninopicaresca se logra, evidentemente, por medio de la cuantía de fugas, mudanzas de domicilio, viajes repentinos, y también, por los cambios de oficios, nombres, apellidos, maridos y amantes.

Por lo tanto, la pícara seiscentista es ama de sí misma y sirvienta de ninguno [27]; desde el principio dirige su destino hacia una meta de bienestares socioeconómicos. La pícara no es una nave sin rumbo como se cree a primera vista; este personaje literario amolda su vida a las situaciones que se le presentan en este largo camino de ascendencia socioeconómica, y la amolda también para su conveniencia personal y provecho continuo. Es por eso que, el sentimiento amoroso de la pícara seiscentista, parte integral del «yo y mi circunstancia», va a formar parte también de esta acomodación vital como vamos a observar en el próximo apartado.

---

[27] J. A. van Praag: *op. cit.*, p. 73.

El sentimiento amoroso

Esta tendencia de la moral femeninopicaresca se evidencia en tres categorías principales, reflejando cada una el comportamiento amoroso de las doce heroínas apicaradas que venimos analizando. La primera categoría acusa un fuerte erotismo; la segunda, una ausencia del mismo y presencia de un tipo de castidad, y la última, un amor idealizado.

A. *Erotismo*

Seis, de las doce protagonistas de este estudio, acusan este sentimiento amoroso: cuatro lo manifiestan fuertemente y dos menos que las otras. Pasemos a analizar este fenómeno femeninopicaresco presentando a cada sujeto literario según el grado de erotismo suscitado o experimentado.

Justina, que después de haber tenido una adolescencia casta: «que mi virginidad daría de sí señal honrosa» (p. 884), encabeza este grupo por ser la más erótica de todas hacia el final de la novela, pues cambia completamente y revela un erotismo de gran intensidad como vamos a verificar en seguida. Esta transformación repentina y total coincide, paradójicamente, con la plena madurez de la protagonista de *La pícara Justina.* De primera intención, Justina se interesa esencialmente en la búsqueda de cierta protección masculina. Aclara la protagonista:

> Viendo, pues, yo que allende de las comunes y generales obligaciones tenemos en ser varonesas y buscar varón, a mí me corría tan particular por el aprieto en que me veía, me casé con un hombre de armas, a quien yo había nombrado curador y defensor en los negocios dc mi partija (p. 878).

Conviene notar que el afán inicial de protección masculina es, en realidad, una astuta pantalla que cubre y mitiga el verdadero deseo erótico de Justina, pues se descubren manifestaciones sexuales de primer orden, que a pesar de estar escondidas bajo la retórica culterana y conceptista de la época, revelan fielmente la intensidad de este nuevo empleo de Justina. Agrega la narradora a propósito:

> Este hombre de armas me armó, y si quieres saber cómo fue, no digo más, sino que me miró y miréle, y levantóse una miradera de todos los diablos, semejante al humo de cal viva... En resolución, digo, que como el verdadero amor nunca echa su caudal en palabras, y metió en su lugar fuego con que abrasa los corazones. Era fuego, y queméme (p. 878).

En estas líneas se aprecia, conclusivamente, cómo se manifiesta este sentimiento erótico de Justina. Pues bien, se descubre una evolución eroticosemántica que se intensifica desde el primer vocablo, parcialmente ingenuo, que define a la heroína llamándola «varonesa», hasta llegar a la primera frase que describe al amante, acusándolo de ser «hombre de armas», lo cual revela en ambos epítetos un juego malicioso de doble sentido al añadirles una frase vital que explica la acción sexual con el «me armó», y otra, que describe el encuentro en varias palabras: «miradera de todos los diablos, semejante al humo de la cal viva». Percibimos en esta imagen, aparentemente ingenua: «miradera de todos los diablos», tan usada en el vocabulario popular, un reforzamiento erótico, especialmente, al añadir la otra imagen, pictóricamente caliente: «semejante al humo de cal viva». Debemos mencionar también el popularismo refrán que dice así: «donde hay humo hay fuego»; pues claro, eso es lo que ocurre como vamos a captar enseguida cuando agrega: «Era fuego, y queméme». Es curioso descubrir esta rápida transformación erótica, comenzando por el tibio afán de buscar marido para su protección: «por al aprieto en que me vía», hasta llegar al punto de descubrir «humo», antecesor del fuego, y, que aparece en seguida: «era fuego, y queméme».

El amor erótico que sienten estos amantes, ha alcanzado, pues, tal grado de calor, que no solamente quema sino también priva la expresión oral del amante. Dice ahora la narradora a propósito:

> Díjome Lozano su cuidado con tan pocas palabras y tan cortas, que daban bien a entender que más se hicieron para pensadas que para dichas, y como venían abrasadas del fuego de amor, salían tan estrujadas, que denotan quererse tornar a su alma, en saliendo, por no enfriar fuera de ella ni perder el espíritu interior con que las despedía el arco del alma por la cuerda de la lengua. Y si pocas razones manifestaron su cuidado, menores fueron las que sacaron mi consentimiento... Sus palabras hicieron oficio de eslabón, y las mías de amoroso fuego y yesca, de fuerza habrán de ser tan pequeñas como lo es un sí quiero que en ocho letras se concluye (p. 878).

Vale la pena notar que, este erotismo tardío y aparentemente desenfrenado en la ya adulta protagonista, es lo que va a conducirla por una senda nupcial; y al mismo tiempo, esta nueva vida que comienza Justina, después de su postadolescencia, no está compuesta ya de travesuras infantiles y alocadas. Explica la propia protagonista de *La pícara Justina:*

...No sólo en el tiempo que estuve casada con Lozano, el hombre de armas, como se verá en el libro primero, pero en el que lo estuve con Santolaja, que fue un viejo de raras propiedades..., cuya muerte dio principio a más altas empresas, las cuales me pusieron en el felice estado que ahora poseo, quedando casada con don Pícaro Guzmán de Alfarache, mi señor, en cuya maridable compañía soy en la era de ahora la más célebre mujer que hay en corte alguna (p. 884).

Cabe preguntarse, ¿por qué el autor de esta obra no hizo aparecer a Justina en los otros volúmenes que la propia protagonista promete? La respuesta habría ayudado a explicar el erotismo tardío de este personaje.

A semejanza de Justina, Elena también presenta un grado de erotismo bastante avanzado en sus relaciones con su amante Montúfar, personaje masculino que logra satisfacer a la heroína apicarada plenamente, por su fortaleza física y, sobre todo, por su erotismo y resistencia juvenil. Comenta el narrador de *La hija de Celestina:*

Ya Montúfar dormía y el alba despertaba... cuando allá el desposado, cansado de la noche y más sobrado de mujer de lo que él quisiera, deseaba huir la compañía y la cama.

Apretábanle mucho los deseos de la forastera hermosa... por ser mujer que podía pretender lugar entre las que mejor en la ciudad parecían (p. 902).

Aclaremos que, a pesar del cansancio físicosexual que siente el amante de Elena: «deseaba huir la compañía y la cama», es tanta la atracción erótica que existe entre ellos, que el amante no abandona de ninguna manera la voluptuosa Elena. Esta atracción erótica es mutua, pues Elena la manifiesta claramente en el pasaje anterior y ahora en el siguiente cuando confiesa al propio amante:

donde te encontré en casa de aquella amiga y me aficioné de tu buenas partes, siendo el primer hombre que ha merecido mi voluntad y con quien hago lo que los caudalosos ríos con el mar —que todas las aguas que han recogido, así de otros ríos menores como de varios arroyos y fuentes, se las ofrecen juntas— dándote lo que a tantos he quitado (p. 902).

No obstante esta confesión que señala el gran gozo erótico, sobre todo de parte de Elena, cierto desamor comienza a aparecer ya en su mente: «ella (suspiraba) por el ingrato que tenía al lado —a quien amaba con verdad de corazón y le había conocido la tibieza de la voluntad» (p. 902). Llega a tanto esta desilusión de Elena que su gran sentimiento amoroso se transforma en odio mortal y la heroína decide librarse de la compañía de su amante. Así lo explica el narrador de la obra:

> Ya iba desconteta Elena del lado de Montúfar, a quien llevaba aborreciendo con el mismo extremo que le amó, por habelle conocido en el ánimo tan pocas fuerzas; mirábale con ojos de desprecio, como a hombre cobarde y de corto corazón; quisiera abrir una puerta, si la ocasión le diera las llaves, por donde huille el rostro para toda la vida (p. 906).

En cambio, Teresa de Manzanares, figura central de *La niña de los embustes* y tercera protagonista de este grupo, presenta, dentro de la obra acabada de citar, una evolución progresiva hacia el erotismo. Sarabia, su primer amante durante su adolescencia, y segundo marido después, es el mayor estímulo erótico en la vida de Teresa. El primer contacto con Sarabia se nota a los pocos años de edad. Recordemos que, a pesar de ser un contacto directo entre Teresa de Manzanares y Sarabia, el interés principal no es dirigido a la joven protagonista, sino a Teodora, hija de una de las amas de Teresa. Observemos la reacción de Teresa de Manzanares ante el comportamiento galanteador de Sarabia:

> El verdadero amor, señora Teresa (si hemos de seguir la opinión de muchos que trataron de él), ha de ser sin interés alguno: desnudo le pintaron los antiguos por eso, que amor vestido ya deja de serlo y es interés. Si la señora Teodora mira bien esto con los ojos de su prudencia, yo sé que seré preferido a mis dos competidores sin dádivas de por medio...
>
> El despejo con que dijo esto ocasionó un cuidado en mí, que desde aquel día quise bien a aquel hombre, teniendo ya celos de que con tanto afecto se mostrase aficionado por Teodora, pareciéndome que, según la voluntad se iba empeñando en quererle, todo lo que la suya se enderezaba a servirla era tiranizármela a mí (p. 1355).

Se sabe que una de las cosas que más atrae el interés de una persona, es el desinterés marcado de otra por ella. Pues bien, Teresa de Manzanares no es ninguna excepción a esta tendencia humana y, a pesar de su gran astucia y profundo conocimiento en cuestiones de amor, se ve casi derrotada ante el desinterés evidente de Sarabia: «teniendo ya celos de que con tanto afecto se mostrase aficionado por Teodora». Teresa intenta disculpar este afecto, relativamente prematuro, que siente por Sarabia en el siguiente fragmento:

> Diráme vuesa merced, señor lector, que no fuera yo mujer, pues escogí lo peor, a que respondo que como disculpa a un amante el casarse bajamente por la hermosura de una mujer, así me puede disculpar Sarabia, que así se llamaba (p. 1355).

En primer lugar, hay que interpretar bien el sustantivo «mujer» que usa Teresa en su disculpa, añadiéndole otro valor semántico adjetival además del nominal que ya todos conocemos. Este vocablo, en boca de Teresa, quiere decir «mujer astuta y de gran mundología precoz», puesto que es un reflejo exacto del tipo apicarado de Teresa de Manzanares. Y agreguemos que no se debe pasar por alto el razonamiento de la enamorada Teresa, pues es curioso cómo iguala su caso particular al de un amante que se casa bajamente por la hermosura de una mujer: revelación evidente de un profemenismo marcado. Asimismo, nótese cómo el sentimiento amoroso que ya siente la adolescente al sufrir celos, anula por completo la fuerza contrarrestante de su astucia y mundología, haciéndola olvidar, por el momento, que es una pícara astuta. Indudablemente, es el instinto humano lo que domina su comportamiento, impulsándolo hacia el erotismo.

No obstante esta clara manifestación sensual de parte de la adolescente Teresa, no se observa, de inmediato, una pasión amorosa descontrolada, más bien lo contrario. Todo esto se debe, en parte, al hecho de que esta manifestación, al parecer tan precoz y erótica, es relatada e interpretada años después de ocurrida por la narradora adulta [28]. Explica dicha narradora a propósito:

> Con esto me despedí de él, no poco contenta de que mudase de intento, proponiendo, si hallaba en él perseverancia en amarme, favorecerlo en lo lícito, porque a otra cosa no me extendiera por cuantos tesoros tiene el orbe, que esto era como una devoción de monjas, y por darle motivo que me hiciera versos, que gustaba muchos dellos (p. 1358).

A pesar de lo antedicho, se percibe, en este fargmento de la obra, un enfriamiento de lo erótico o una aparente contradicción de parte de la protagonista. Otra vez debemos recordar la ruptura temporal que existe entre la protagonista adolescente y la narradora adulta y bien madura, pues seguidamente, al contraer matrimonio con un setentón que no la satisface en nada y la hace sufrir sin cesar, el propósito virtuoso de Teresa desaparece de repente, convirtiéndose en una promesa al viento a causa de la angustia de la mala vida de casada: «Con esta vida me vine a consumir de suerte que no era mi cara la que antes» (pá-

---

[28] Claudio Guillén: «La disposición temporal del *Lazarillo de Tormes*», *Hispanic Review,* XXV, 1957, p. 272.

gina 1363). Inevitablemente, dicho sufrimiento hace renacer el sentimiento amoroso de Teresa por Sarabia. Afirma la narradora:

> Supo el licenciado Sarabia mi desconsuelo y triste vida, y escribióme un papel muy tierno condoliéndose de mi trabajo y ofreciendo su persona si era menester para su remedio...
>
> Tan desesperada me vi con el celoso humor de mi mal viejo y con el desabrimiento que conmigo tenía, que me resolví en favorecer al licenciado Sarabia y a procurar lugar para que entrara en casa...
>
> Vime con Sarabia; lloré mi trabajo, y él, consolándome en mi aflicción, procuró no perder la ocasión... (pp. 1363-1365).

Más adelante, Teresa vuelve a adoptar una actitud severa en sus relaciones amorosas con su amante al quedar viuda de su primer marido. Comenta la narradora a propósito:

> Quiso verme Sarabia una noche, mas yo le envié a decir que no se acordara más de mí ni de aquella casa si no quería que le estuviese mal, con que me dejó... Bastó el recado que envié a Sarabia para no frecuentar más mi calle, dejando mi martelo, del cual no quisiera acordarme..., y así quedé con propósito de ser espejo de mujeres (p. 1366).

En estas líneas, se aprecia el titubeo erótico que sufre Teresa de Manzanares al quedar viuda del anciano marido. De más está decir, pues es obvio, que ésta es una estratagema apicarada propia de la pícara seiscentista y no una evidente contradicción en el carácter de Teresa de Manzanares [29]. Esto se puede comprobar cuando Teresa vuelve a encontrarse con su antiguo amante y renace el sentimiento amoroso de nuevo. Explica la propia protagonista:

> Aquella noche quise que cenase conmigo, y después de la cena se fue a su posada, pidiéndole que me viese cada día. Prometió hacerlo así, pues tan bien le estaba el visitar a persona a quien tanto había querido y deseado servir.
>
> Con la continuación de visitarme Sarabia tan galán y con verle yo representar, se me abrieron las antiguas heridas del pasado amor y paró en matrimonio (p. 1395).

Teresa logra varios encuentros amorosos con otros amantes más adelante en su vida libertinopicaresca, pero ninguno de éstos llega a la intensidad erótica que los de Sarabia.

A pesar de lo antepuesto, vale la pena notar cómo ya se refleja el progresivo desinterés por lo erótico en estas heroínas apicaradas a

---

[29] Thomas Hanrahan: *op. cit.*, p. 249.

medida que se avanza cronológicamente. Si se considera a la protagonista de *La pícara Justina* como la más avanzada en expresar y suscitar lo erótico, no podemos dejar de darnos cuenta de dicha evolución hacia lo antierótico. Un buen ejemplo de ello, es Rufina, puesto que durante la adolescencia, esta heroína se deja pretender por muchos galanes, pero, al parecer, ninguno le interesa o ninguno logra encender, adecuadamente, el fuego del amor erótico. Comenta el narrador de *La garduña de Sevilla:* «Con las ausencias que hacía de su casa Trapaza comenzó su hija a tener libertad para dejarse ver a la ventana y ser vista, de suerte que, a la fama de su hermosura, ya frecuentaban la calle muchos pretendientes» (p. 1530).

Consecuentemente, del anterior fragmento hay que notar que nada nos aclara el narrador en estas líneas sobre el sentimiento amoroso de Rufina. Lo único que se puede desglosar es el limitado interés erótico de esta adolescente que se deja ver a la ventana por muchos pretendientes. No hay contactos físicos que aseguren un erotismo como en las otras protagonistas que venimos analizando.

Precisa añadir que esta limitación relativa del erotismo en Rufina persiste aún cuando la moza pasa de la época pubertina a la maduro-adolescente. Este período coincide con las relaciones amorosas de los dos amantes que Rufina acepta después de casada. Explica el narrador:

> Pues como (Roberto) galantease a nuestra Rufina, y el mozo era de buen talle, ella puso su afición en él, correspondiéndole... Feliciano, pues, supo significar a la señora Rufina tan bien su amor, que ella, creyéndose de sus palabras en hábito de ternezas, comenzó muy humana a admitirle en gracia (pp. 1530-1532).

Llama la atención la marcada carencia de entusiasmo en las relaciones con Roberto. Es obvio, pues, que Rufina no sufre la quemadura amorosa de una Justina, una Elena o aun de una Teresa de Manzanares. Existe tal tibieza en el erotismo de Rufina que tal parece que la influencia de la novela cervantina se deja sentir ya en la conducta amorosa de Rufina [30]. Bien que exista dicha influencia antipicaresca en el género hacia la mitad del siglo XVII, Rufina consigue expresar un sentimiento amoroso menos tibio hacia el final de la novela. Esta manifestación tardía nos hace recordar los amoríos, también tardíos, de Justina.

---

[30] Peter N. Dunn: *Castillo Solórzano...*, p. 119 y 126. Además, véase la introducción de este estudio y la cita 12 de la misma.

Pues bien, Rufina, la figura central de *La garduña de Sevilla,* se enamora de don Jaime, un joven hermoso que llega a calentar su tibieza amorosa. Registra el narrador de la obra:

> A este mozo le pareció bien Rufina... y trató de enamorarla muy de veras y merecerla por esposa. Lo mismo pensaba hacer ella; así correspondiéndose como finos amantes. Rufina se descuidó y don Jaime se halló favorecido della del todo (p. 1599).

Del anterior fragmento se observa que Rufina logra interesarse suficientemente por este amante, lo cual permite que su enamoramiento traspase los límites de su tibieza adolescente. También percibimos que se exhibe un sentimiento amoroso de bajo grado de erotismo pero que, aunque limitado, supera evidentemente las manifestaciones adolescentes citadas con anterioridad.

Por otro lado, Flora, que comienza su vida adolescente comportándose extraordinariamente moral y discreta, nos sorprende cuando dicha conducta produce un resultado opuesto. Explica la narradora de *La sabia Flora Malsabidilla* a propósito:

> Corrido de no haber llevado vitoria *[sic]* de una mujer tan humilde, se alabó de que había gozado con las obras aquello de que ni aun el sí tuvo con las palabras. Voló la voz de esta infamia, y caí en las manos del desprecio común, que como la bajeza de mi calidad era tan sospechosa, mayor dificultad hubiera en persuadir lo contrario (p. 300).

Queda ahora bien perfilado que la castidad de Flora se transforma repentina e inesperadamente en un futuro erotismo que, a la vez, sirve de arma ventagtiva contra la sociedad dominada por el hombre [31]. Apunta la propia Flora: «Viéndome en este estado pasé a Sevilla, donde, mudando traje, hice verdad lo que de mí se sospechaba en Cantillana» (p. 300). Y más adelante, después de haberse preocupado más por la ganancia que por el placer erótico, Flora se lanza de lleno en los brazos de Eros: «Dejéme llevar luego de la travesura golosa de algunos lucidos mozuelos, y hecha pasta común, a todos serví con mis deleites, de todos recibí satisfacciones» (p. 301). No obstante lo antedicho, este erotismo repentino no dura mucho y es muy secundario en su vida apicarada.

El caso de Luisa, una de las «harpías», reafirma la propensión

---

[31] Continúa el antimasculinismo. También véase la cita 17 de este capítulo.

hacia la disminución de lo erótico en las relaciones amorosas de la pícara seiscentista, pues a pesar de tener Luisa un amante que se interesa casi exclusivamente en el gozo de los favores carnales de su dama, estas relaciones amorosas no presentan, en claro, un gran erotismo. Afirma el propio amante: «porque mi designio sólo se enderezó a servir a mi señora doña Luisa, de modo que por firme y generoso mereciese llegar al fin de mis deseos con los vínculos del amor, no del matrimonio» (p. 21). Seguidamente, Luisa no expresa ninguna opinión acerca de sus relaciones concubinescas con don Fernando. Este desinterés es, asimismo y conjuntamente, un reflejo sincero de la falta de erotismo en la protagonista, a pesar de su concubinato.

Hemos constatado que seis de las heroínas apicaradas exhiben una inclinación hacia lo erótico y que solamente una, Justina, la primera en intensidad y en cronología, presenta lo erótico en un altísimo grado, lo cual la separa mucho del resto de las otras cinco. Esta separación debida al gran erotismo, aunque tardío, que presenta Justina hacia el final del material novelado, quizás se deba a varias razones histórico-literarias. Justina es la heroína apicarada que más se aproxima cronológica y eróticamente a la obra magistral y base precursora de toda esta corriente femeninopicaresca, nos referimos aquí, naturalmente, a *La Celestina;* y por consiguiente, Justina es también la que más se aproxima cronológica y eróticamente al eslabón literario conocido por *La lozana andaluza,* en cuya obra, lo erótico asume aún mayor importancia que en su precursora literaria, *La Celestina.*

También hemos notado que esta separación, entre Justina y el resto de las otras cinco, y aún de las mismas tres que acusan más erotismo, aumenta y se hace más evidente a medida que se avanza cronológicamente. Por ejemplo, la separación erótica y cronológica entre Justina y Rufina es enorme, mientras que aquélla entre Justina y Elena es pequeña,o sea, mucho menor. He aquí la correspondencia que existe entre el erotismo y la cronología literaria de esta picaresca femenina. Agreguemos que, de nuevo, se manifiesta la influencia de la novela cervantina en la novelística apicarada del siglo XVII [32].

---

[32] Peter N. Dunn: *Castillo Solórzano...*, pp. 119 y 126. Además véase el resumen del amor idealizado a finales de este apartado.

B. *Castidad*

El grupo de protagonistas apicaradas que acusa cierta castidad, o ausencia de erotismo o de amor idealizado, por razones múltiples, se reduce a seis entre las doce disponibles que abarca este retrato. Estas van a ser presentadas en un orden de importancia que se basa exclusivamente en el grado de intensidad que va de mayor a menor.

La primera es Feliciana, una de las «harpías», que a pesar de introducirse atrevidamente en casa de un rico milanés, no exhibe ninguna osadía erótica, sino todo lo contrario como vamos a observar en el fragmento que sigue: «Agradeció Feliciana la merced que le hacía mostrándole unos ojos muy hermosos, con que se dio al amartelado joven por pagado con sólo aquello» (p. 49). Aún hacia el final de la permanencia, la astuta Feliciana continúa manteniendo su fingido pero riguroso decoro, evitando de este modo toda clase de contacto sexual con el engañado galán (p. 61). Y asimismo, de los citados fragmentos se saca un ejemplo evidente del sensualismo casto que logra presentar Feliciana en sus relaciones amorosas con el milanés que, en parte, se debe al desinterés erótico y, en parte, al mayor interés material por conseguir un beneficio económico. ¡He aquí el verdadero motivo!

Dorotea, otra de las «harpías», intenta seducir a su pretendiente por medio de un sentimiento amoroso que resulta ser también casto, porque evita todo contacto físico con el engañado galán: «Apenas hubo entrado don Tadeo en la cama y reclinado la cabeza en las almohadas, cuando comenzaron a obrar los polvos, con tanta fuerza, que daba los ronquidos tan fuertes, que se oyeron en la calle» (p. 155). Por lo visto, Dorotea se desinteresa completamente del amor erótico y también del idealizado, engañando a su crédulo pretendiente para dedicarse en su exclusividad al beneficio material de sus burlas.

Seguidamente, Teodora, a pesar de su experiencia previa en la prostitución, acusa mucha castidad en sus relaciones amorosas por carecer de alternativas apropiadas. Recordemos que a Teodora la persigue la mala suerte y fracasa aún en el intento apicarado más simple. Acota el narrador:

> Aquí sí que pensó perder el juicio Teodora, y entonces sintió el agravio y ofensa, más que si la dejaran desnudo el corazón, arrancándole aquellas telas que le sirven de natural y piadoso abrigo; porque vio vengados a sus enemigos, que no eran

pocos, y tan extendida la voz del cuento, que ya se atrevían a llamarla la 'Dama del perro muerto' muchos (p. 76).

Sea por la mala suerte, o sea, por la falta de astucia, Teodora no logra ni ejecutar burlas que se propone ni tener contactos sexuales tampoco. Teodora resulta ser casta por las circunstancias que la rodean y no porque lo desee realmente, como se ha visto con anterioridad en el caso de Feliciana y aun de Dorotea. Casi lo mismo se puede afirmar de Teresica, la figura central de *La niña de los embustes,* que a pesar de exhibir varios encuentros amorosos, todos terminan en burlas sin demostrar ningún interés amatorio aun cuando contrae matrimonio al final de la obra. Igualmente, lo mismo se puede evidenciar en el caso de Constanza, otra de las «harpías», pues se acusa una falta total de sentimiento amoroso en sus contactos sociales. Asimismo, Cristina, la figura principal de *El coche mendigón,* como la heroína anterior, no acusa un gran interés amatorio en sus contactos sociales; pero en cambio, exhibe un interés bien marcado por aquello que se relaciona con la adquisición, mantenimiento y retención de su coche.

No debemos pasar por alto una observación propicia que se deduce del comportamiento de estas seis heroínas en cuestión: el hecho de acusar una ausencia de amor erótico y de amor idealizado las coloca simplemente en esta categoría intermedia de amor casto, sin que esto implique, necesariamente, que exista tal castidad amorosa en estas pícaras, sino más bien, una despreocupación evidente por ambos extremos de la escala amorosa.

C. *Amor idealizado*

Paradójicamente, las únicas tres protagonistas que pertenecen a este grupo de amor idealizado, aparecen también en el grupo más extenso del amor erótico. Esta dualidad contradictoria, pero existente en Elena, Teresa de Manzanares y Rufina, se debe a la yuxtaposición de estos dos elementos antagónicos en la compleja personalidad literaria de estas heroínas [33], las cuales han de introducirse en orden de importan-

[33] Gregory G. La Grone: «Salas Barbadillo and the Celestina», *Hispanic Review,* vol. IX, 1941, pp. 440-458. Es curioso notar que solamente el investigador La Grone se ha ocupado, hatsta la fecha, de analizar este doblamiento de la pícara seiscentista

cia, que va de mayor a menor intensidad en la manifestación del amor idealizado, y que, involuntariamente, dicha estructura de intensidad amatoria coincide con el orden cronológico, puesto que la más antigua, Elena, exhibe mayor grado de amor idealizado, y la menos antigua, Rufina, exhibe menor grado [34].

Para confirmar lo antedicho, vamos a analizar primero a Elena, la protagonista de *La hija de Celestina.* Observemos, detenidamente, la primera reacción de don Sancho ante la gran belleza de Elena:

> Don Sancho de Vellafañe... acertó a ver el rostro de Elena, que de paso le tiranizó el alma con tan poderosa fuerza, que si le fuera posible siguiera [a] la hermosura forastera y perdonara de muy buena gana las bodas con otra mujer; y sin duda se arrojara en los brazos de tan loco disparate si no ahogara la prudencia por entonces este deseo, que antes de nacido fue muerto (p. 895).

Llama la atención que don Sancho está listo a abandonar a su novia en vísperas del matrimonio, y que la belleza de Elena ejerce tanta influencia, que crea un encuentro amoroso orientado hacia lo ideal; esto lo confirman las líneas que siguen: «el rostro de Elena... le tiranizó el alma», y agrega que: «perdonara de muy buena gana las bodas con otra mujer». Sin embargo, la prudencia interviene y malogra este arrebato idealista de don Sancho. Consecuentemente, más adelante, volvemos a registrar esta misma influencia, exponiendo ya múltiples reacciones amatorias que intensifican este idealismo. Confiesa el propio don Sancho:

> ¿Es posible que soy tan tirano de mi propio gusto que al tiempo que mis pies se habían de ocupar en buscarme este bien que tanto deseo voy huyendo del lugar adonde la vi: que sería triste yo y mil veces miserable si aquel ángel a quien di el alma, como era mujer forastera, no estuviese en la ciudad cuando yo volviese? Justamente pagaría este mal consejo con dar desesperado fin a mis verdes años. ¡Volvamos, y sea luego! ¡Oh posta, y qué cierto es que si como corres con largo paso fueras tan veloz que usurparas su vuelo al águila, me habías de parecer en esta oca-

---

y, en especial, la gran influencia que la obra *La Celestina* ejerce en Elena, la protagonista de *La hija de Celestina.* Dicha influencia celestinesca se concentra en el transmitir la multiplicidad de características amatorias de ambos mundos sociales —el de Calisto-Melibea y el otro de los criados Parmeno-Areusa y, sobre todo, Sempropio-Elisa— para concebir un solo personaje: Elena. Esta heroína apicarada presenta estos dos mundos antagónicos en sus relaciones: Elena-Don Sancho y Elena-Montúfar, respectivamente. He aquí una fantástica yuxtaposición de valores opuestos.

[34] Véase la primera parte de este apartado, que trata del erotismo.

sión perezosa! Mas ¿con qué reputación puedo, sin llevar ninguna razón de lo que salí a buscar, parecer a los ojos de aquellos contra cuya opinión intenté esta jornada, dejando que de mí se burlen unos ladrones que —por camino tan nuevo que no se sabe otro ejemplar— robaron la casa de mi tío y desacreditaron mi reputación? (p 903).

Notable es que el amante se desespera tanto por no haberse dejado abandonar a la atracción de Elena: «soy tan tirano de mi propio gusto», que se revela contra sí mismo y se amenaza con quitarse la vida si no logra su deseo amoroso: «con dar desesperado fin a mis verdes años». No obstante esta fuerza magnética que ejerce Elena en el alma de don Sancho, este factor amoroso no logra seducir al pretendiente lo suficiente para que desista en su intento de perseguir a la ladrona de su dinero y honor. Afortunadamente, el destino ayuda al pretendiente presentándole en una misma persona las dos fuerzas opuestas que lo dividen: una representa la perseguida ladrona de sus bienes materiales y burladora difamante de su honor, y la otra, representa la abandonada dama de su amor idealizado. Esta unión de polos antagónicos, no solamente destruye la falta de fuerza decisivoamorosa en el dividido pretendiente para convertirse en una sola fuerza atrayente, al conducirlo con violencia repentina hacia Elena, sino que crea un aturdimiento mental que es productor de alucionaciones quijotescas como vamos a comprobar más adelante en el comportamiento de don Sancho. Pero ahora, concentrémonos en el segundo encuentro de don Sancho y Elena, sin perder de vista esta unión de los polos antagónicos ni el resultado mental que esta unión produce en el pretendiente, para comprender mejor este brote de amor idealizado:

Pero ya que estaba junto, al tiempo que alzaba el brazo para ejecutar el golpe, reconoció los ojos que le habían vencido: y refrenando la mano y dando lugar a la vista que de espacio *[sic]* examinase la verdad de aquel rostro y viese si era el que él tanto amaba de repente le había parecido, como se afirmase segunda vez y reconociese ser así, pensó que sus criados le habían engañado, porque siempre de la cosa amada presume el amante inclimaciones honradas y nobles respetos. Y como si él conociera a Elena por persona abonada, desde el día de su nacimiento, y no fuera posible en el mundo que mujer de tan buen talle fuera ladrona, como verdaderamente lo era, arrojando la daga...

—Mire vuestra señora —prosiguió diciendo— a lo que está sujeta la gente principal en el mundo; pues si yo no vengo aquí acompañando a éstos, alborotan ese lugar primero y, valiéndose de los recaudos que traen, vuelven a vuestra merced presa a Toledo por ladrona. Bien creo yo que vuestra merced lo es, y tanto, que por vida mía que no jure yo en su abono; pero de voluntades y corazones. Que de tan bello rostro más lícito es presumir que roba almas que dineros (p. 904).

Es la belleza facial de Elena la que frena el brazo justiciero y amoroso de don Sancho: «refrenando la mano y dando lugar a la vista... de aquel rostro». Esta gran hermosura de la heroína, crea, en la mente del ya aturdido pretendiente, un idealismo amoroso que transforma la realidad cotidiana en una especie de realidad quijotesca de antecedentes caballeroamorosos y de gran sabor neoplatónico, apareciendo anteriormente en las caracterizaciones amatorias de la literatura italiana [35]. Este amor idealizado, de tono estilnovista, nubla los ojos de don Sancho: «siempre de la cosa amada presume el amante inclinaciones honradas y nobles respetos» [36]. Y continúa, el enamorado, a exhibir su ideología neoplatónica, al describir la belleza de su amada: «tan bello rostro más lícito es presumir que roba almas que dineros», lo cual disculpa a su dama de todo delito.

Debe tenerse en cuenta que Elena, la heroína apicarada, no siente este amor idealizado. Elena vive en otro mundo y su preocupación es otra, y completamente ajena a la de don Sancho, pues se basa en el escapar con el dinero recién estafado. Es obvio que volvemos a presenciar aquí la desasociación amorosa que existe en la literatura sentimental idealizada de otras épocas y de otros países [37]. Dicha desasociación produce una barrera sentimental en los estilnovistas italianos, al igual que ahora, en estos neoplatónicos seiscentistas españoles. Dicha barrera coloca a los amantes en diferentes niveles o mundos: uno,

---

[35] El erudito La Grone, en su estudio citado, deja de mencionar la gran influencia del neoplatonismo italiano como base a *La Celestina,* al igual que en la obra en cuestión, *La hija de la Celestina.*

[36] Giulio Nassi: *Letteratura Italiana del Medioevo,* Firenze: Editrice Universitaria, 1955, pp. 108-111. Conviene señalar que en este fragmento citado en el texto de nuestro estudio se refleja de lleno la influencia estilnovista.

[37] Es más prudente asociar esta locura de amor idealizado que siente Don Sancho por Elena con las expresiones amorosas que siente Don Quijote por Dulcinea y no con las que siente Calisto por Melibea, como sugiere el erudito La Grone en el mencionado estudio. Tanto Don Sancho como Don Quijote, y al igual que los estilnovistas italianos, sufren lo que no sufren sus amadas, pues a veces ellas ni se enteran de lo que está sucediendo. Es por eso que se crea una separación entre los dos amantes, una especie de barrera sentimental, puesto que el interés de cada amante es diferente, hasta el punto de ser antagónico. El caso de Calisto y Melibea no es así, por supuesto.

idealista, y el otro, antagónicamente, realista. He aquí una dualidad de esta realidad literaria.

Observemos detalladamente esta dualidad de la realidad de don Sancho, el pretendiente de Elena, en el siguiente fragmento:

> Turbóse de ver, en aquella soledad tan extraña, dos mujeres atadas, y mucho más cuando —sin bastar la diferencia del camino para desalumbralla— reconoció el rostro amado. Pero como él tenía hecho conceto *[sic]* de que Elena era mujer principal y casada en Madrid, dudó mucho que pudiese ser ella persona que gozase de aquella libertad, como era venir tantas leguas de su tierra, sola y en traje semejante; creyó que el mucho deseo le engañaba y que la perpetua ansia de la imaginación representaba aquellas fantasías. Buscaba palabras con que hablallas, pero ni el discurso se las ofrecía ni la voz tenía ánimo para dallas formas.
>
> Púsose de pie sobre los estribos y después de haber corrido con los ojos todo el espacio de aquel largo sitio, viéndose tan solo, imaginó si era aquella illusión del Demonio que, habiendo hurtado la forma de la forastera de quien tanto se dejaron obligar sus ojos, quería en aquel desierto burlalle; permitiéndole así la justicia divina por no dejar sin castigo en esta vida su torpeza (p. 910).

Dicha dualidad de la realidad se empieza a manifestar claramente en las líneas que acusan su primera percepción óptica: «en traje semejante». Trata de disculpar esta fea apariencia física de su amada por creerla obra de su imaginación disturbada por tanta autotiranía: «creyó que el mucho deseo le engañaba y que la perpetua ansia de la imaginación representaba aquellas fantasías». Pero esta explicación no lo convence del todo y busca la solución a este problema de una manera quijotesca, otra vez, al acusar una fuerza ajena a su ser: «era aquella ilusión del Demonio que, habiendo hurtado la forma de la forastera». Y sigue divagando hasta que lo interrumpe un incidente. El desafortunado galán abandona la presencia de su dama para ocuparse en resolver una algarabía inoportuna, pero al regresar nota la misteriosa desaparición de su amada, lo cual convence al desesperado de la intervención del Demonio, confirmando su previo parecer. Tanto la imprevista desaparición como el autoconvencimiento pseudoconfirmado de la intervención del Demonio, impulsan a don Sancho a adoptar una actitud desconsoladora y productora de un extenso brote de sentidos lamentos amorosos de tono líricocaballeresco:

> ¡Oh tronco dichoso! ¡Oh mil veces planta bienaventurada, pues mereciste que los hermosos brazos te ciñesen, de aquella a quien amo sin conocella y la conozco solamente para amalla!

Crece feliz y crece tanto, que en vez de las aves, sirvan tus ramas a las estrellas de asiento.

Seguro estás del tronco a la copa, porque ni los rayos del cielo te herirán en ella, ni los gusanos de la tierra te roerán por él.

Tendrás siempre a las estrellas por padrinos y a los campos por invidiosos *[sic]*.

Tu sombra será hospedaje de salud, porque los que en ella buscaren el descanso, si llegaren enfermos, volverán alegres y sanos.

Ya, de hoy más, excusarás a la primavera lozana el cuidado de vestirte, porque no se atreverá el cano invierno ya desnudarte.

Las aves y las aguas, enamoradas de ti, se emplearán en darte apacible música, las unas hiriendo los aires y las otras las piedras.

Mas ¿qué nuevo pensamiento me abrasa, ¡ay de mí!, que estoy de ti celoso porque mereciste la gloria de quien tan lejos me lloró? (p. 911).

Esta queja amorosa del desesperado don Sancho, por la pérdida repentina de su dama, comprueba y afirma claramente el amor idealizado que inspira Elena en el desdichado pretendiente.

En cambio, Teresa de Manzanares, la figura central de la obra de Castillo Solórzano, *La niña de los embustes,* no inspira un amor idealizado en el pretendiente amoroso, sino que Teresa se deja seducir por el amor idealizado que Sarabia siente por otra y, tal amor se refleja en la verbosidad formal del poeta, estudiante y galán enamoradizo. Al principio, Sarabia pretende a doña Teodora, amiga y ama de Teresa de Manzanares, pero mucho después Sarabia pretende a Teresa de Manzanares. Observemos primero cómo se expresa este galán enamorado al principio:

—Señora Teresa, gala de la mantellina y donaire de la pedante serafinidad, no pondero con hipérboles ni exageraciones cuánto júbilo ha sentido mi alma con ver esa angélica presencia de vuestra merced; válgame ella en la de mi señora Teodora, para que conozca de este su amante la más fenix voluntad que ha visto el orbe. Todas mis potencias ocupo en amar a su ama y mi dueña; la memoria siempre la tiene presente, considerando sus partes tan dignas de ser amadas; el entendimiento busca exquisitos modos para darla, entre mil atributos que maquina, el que merece su beldad; ¡la voluntad está prontísima a adorarla!, no he dejado hermana de todas las nueve que ministran el ambrosía al délfico planeta, protector suyo, que no invoque para hacerla encomios a sus perfectas facciones; dos resmas de papel tengo escritas en octavas en sus alabanzas, que pienso imprimir, dándoles el título de la *Teodorea,* derivada de su dulce nombre, que fue quien me subtilizó la vena, avivó el ingenio y me dio conceptos. Sírvase vuesa merced de hacer presentación a su señora de estos servicios para que pronto, en su tribunal, alcancen el premio que merecen (p. 1355).

La primera reacción de la preadolescente Teresa es totalmente negativa: «No pensé que acabara el licenciado en aquella hora hallándome confusa con tanto almacén de palabras» (p. 1363). Pero, a medida que la pesantez inicial de esta verbosidad amorosa va quedando en el pasado y la galantería amena del estudiante se exterioriza no solamente en palabras corteses, sino en ademanes e intenciones afectuosas, la precoz adolescente cambia de parecer completamente, aceptando ahora a Sarabia como el mejor de los tres galanes, a pesar de no ser liberal con ella como los otros lo han sido. Afirma la protagonista de *La niña de los embustes:*

> Con todo (si va a decir verdad), lo decía con tanta gracia, y si hubiera de estar en mi mano el premiar a los tres amantes, éste se aventajara a los demás, que tenía gallardo entendimiento (p. 1354).

Y la que estaba ajena de ser susceptible a la verbosidad galana del estudiante poeta, no solamente la acepta con voluntad y con gusto en segunda instancia, sino que la acoge, calurosamente, hasta el punto de sentir celos de Teodora. Confiesa Teresa de Manzanares:

> El despejo con que dijo esto ocasionó un cuidado en mí, que desde aquel día quise bien a aquel hombre, teniendo ya celos de que con tanto afecto se mostrase aficionado a Teodora, pareciéndome que según la voluntad se iba empeñando en quererle, todo lo que la suya se enderezaba a servirla era tiranizármela a mí..., a mí me enamoró... Supo el licenciado Sarabia mi desconsuelo y triste vida, y escribióme un papel muy tierno condoliéndose de mi trabajo y ofreciendo su persona si era menester para su remedio... Vime con Sarabia; lloré mi trabajo, y él, consolándome en mi aflicción, procuró no perder la ocasión (pp. 1355 y 1396).

Seguidamente, Sarabia traspasa los límites del amor idealizado inicial cuando logra gozar los favores de Teresa de Manzanares, haciéndose amante y, más tarde, segundo marido de la heroína. Esta transformación no se debe exclusivamente al mero hecho del gozo sexual de los amantes, sino más bien, al cambio de actitud de ambos interesados [38]. No obstante esta metamorfosis en las relaciones amorosas, hay que tener en cuenta que dicho amor idealizado y de gusto líricocaballeresco, presentándosele a Teresa durante su preadolescencia, es lo que seduce a la joven en primer lugar, y aunque su existencia parezca ser

---

[38] La rufianería y el alcoholismo de Sarabia destruyen el amor que siente Elena por su marido (1397).

efímera, este amorío no deja de causar una influencia permanente en Teresa de Manzanares, manifestándose por toda la novela [39].

Por lo que respecta a Rufina, la última pícara literaria en la cronología de este género, hay que señalar que no vamos a tomar en consideración el pseudoidealismo sensual que la pícara emplea para engañar a sus víctimas amorosas, puesto que éste es un idealismo falso. En cambio, sí vamos a analizar el amor idealizado que siente Rufina con más sinceridad; vamos a concentrarnos, primordialmente, en las relaciones amorosas de esta heroína con su amante don Jaime, para exponer y verificar este fenómeno tan singular de la picaresca femenina. Observemos detalladamente el primer encuentro con don Jaime. Explica el narrador de *La garduña de Sevilla:*

> Viole Rufina con atención, y la que estaba ajena de aficionarse sino sólo a la moneda y a ser polilla della, de sólo ver a este hombre se le inclinó y así le dijo: «Nunca en las personas de mi calidad ha faltado la piedad, y más con quien juzgo por el buen exterior la buena sangre que debe de tener; y así pesándome de vuestro disgusto, os ofrezco esta casa para que en ella estéis oculto lo que fuere menester para deslumbrar a quien os sigue, que no fuera razón dejaros en sus manos pudiendo libraros dellas. Sosegaos, os suplicio, que cuando la justicia os busque aquí, yo tengo parte secreta donde os poder esconder» (p. 1595).

Conviene resaltar que el tono elevado y refinado de Rufina produce varios resultados. En primer lugar, asegura al recién llegado fugitivo una protección y lugar acogedor. Por otro lado, crea un ambiente de generosidad, elegancia y nobleza de espíritu, que logra trasladar a la misma pícara de un ambiente originalmente humilde a otro mucho más alto, y anular todo propósito inicialmente picaresco: «y la que estaba ajena de aficionarse sino sólo a la moneda y a ser polilla della de solo ver a este hombre se le inclinó». Es la gran fuerza del atractivo amoroso la causante de esta transformación psíquica en Rufina, reforzándose aún más exteriormente con la nueva manera de vivir: «tomó casa autorizada en buenos barrios... una esclava... otra doncella... un pajecillo y un escudero» (p. 1593). Rufina se comporta como una dama y se cree que lo es en realidad. Afirma el narrador:

> Aquí cesó la narración..., dejando a Rufina contentísima de ver en aquel caballero partes para ser amado y principios de afición a él, con que se prometía ser ya esposa suya... A este mozo le pareció bien Rufina, y mucho más que fuese noble,

[39] Peter N. Dunn: *Castillo Solórzano...*, pp. 119-126.

y trató de enamorarla muy de veras y merecerla por esposa. Lo mismo pensaba hacer ella; así correspondiéndose como finos amantes (pp. 1597-1599).

La presencia del amor idealizado ha aparecido acompañado de varias transformaciones estilísticas necesarias, pues hemos evidenciado un manierismo culto en estas heroínas apicaradas que se refleja en el refinamiento del vocabulario, y de la expresión en general, al igual que en la aparición de un manierismo líricocaballeresco que se refleja en el tono del material escrito y en la actitud de los personajes, al igual que en la presentación de un manierismo estructural que se refleja en el esmerado equilibrio de la forma y el fondo, y sobre todo, la existencia de un manierismo sentimental que se refleja en el refinamiento de los sentimientos amorosos, que a la vez, cancela los sentimientos eróticos momentáneamente.

En resumen, acabamos de comprobar la existencia de un amor idealizado en esta picaresca femenina, y aún lo más curioso ha sido la existencia de una yuxtaposición del amor erótico y del amor idealizado, apareciendo dicha coincidencia amatoria en tres heroínas apicaradas: en Elena, la protagonista de *La hija de Celestina,* en Teresa de Manzanares, la protagonista de *La niña de los embustes,* y en Rufina, la protagonista de *La garduña de Sevilla.* También hemos constatado la relación que existe en esta yuxtaposición que acentúa lo erótico en las heroínas más antiguas y próximas a *La Celestina* y lo idealizado en las heroínas más recientes y próximas al *Don Quijote.* Añadamos, pues, que tanto el amor erótico como el amor idealizado, o aún la tercera categoría intermedia, el amor casto o ausencia de los dos anteriores, forman una parte esencial en la moral de la pícara seiscentista porque determina su conducta y aceptación social.

Conclusiones

Los tres aspectos dominantes de la moral femeninopicaresca son: una gran propensión a la maldad, un fuerte sentido de la libertad personal y un complejo sentimiento amoroso. La pícara seiscentista refleja esta gran tendencia a la maldad por medio de su comportamiento maquiavélico al emplear la mentira cotidiana, al practicar la infidelidad conyugal, y al ejecutar la venganza cruel y sanguinaria que llega hasta el homicidio en varios casos. En otras palabras, la pícara seiscentista está desprovista de escrúpulos moralmente convencionales. Por eso es que la pícara practica la falsedad, la venganza, la crueldad y la codicia. Dichas características amoldan y forman una moral especial que respalda y satisface su propósito picaresco: el provecho personal.

Se ha comprobado que esta heroína seiscentista posee un fuerte sentido de la libertad, reflejándose claramente en su constante y agitada movilidad. Es por eso que encuentran buena acogida: las múltiples fugas, las mudanzas constantes y repentinas, al igual que los cambios de oficios y empleos, de nombres y apellidos, y también de maridos y amantes. Esto produce una movilidad fisicopsíquica tan vigorosa que ayuda a la pícara seiscentista a salir triunfante de cualquier apuro ocasionado por sus perseguidores, y asimismo, creando en esta heroína una inclinación necesaria por la libertad personal en todo momento.

Hemos comprobado, también, que algunas heroínas apicaradas se destacan del resto por exhibir un sentimiento amoroso de un valor apreciable, pues no se debe solamente al grado de intensidad, sino a la presencia de una peculiarísima dualidad amorosa en tres de las heroínas apicaradas. Dicha dualidad amorosa se debe a la yuxtaposición de lo erótico y lo idealizado.

IV. CONCLUSIONES GENERALES

La novelística picaresca de protagonista femenino continúa una tradición literaria antifeminista y paradójicamente se opone a ella. De un lado, la continúa porque el retrato que se nos presenta de la pícara no es edificante, es decir, se trata de una mujer traviesa, farsante, ladrona, mala, cruel y causante de la ruina de todos los que entran en contacto con ella. Por otro lado, se le opone por dos razones. En primer lugar, el hecho de hacer de la mujer el personaje principal de un género cuyo protagonista tradicional es un mozo, un pícaro. En segundo lugar, coloca automáticamente a la pícara en el mismo nivel que éste, reconociéndole las mismas capacidades heroicas o antiheroicas, eliminando así cierto prejuicio y discriminación de los sexos pasivamente aceptados hasta el inicio del siglo XVII (salvo algunas excepciones esporádicas con *La Celestina* y *La lozana andaluza*).

Aclaremos que la pícara no se equipara solamente a su congénere masculino, sino que lo adelanta en su evolución. El pícaro lucha constantemente para sobrevivir pero no logra salir de un modo permanente de su categoría social. En cambio, la pícara obra con mucha facilitad en un ambiente social muy superior al suyo, imponiéndose en pie de igualdad con verdaderas señoras y transformándose así de pobre mozuela en dama. Para lograr éxito, se le otorgan cualidades excepcionales que le permiten vencer todas las contingencias que la vida aventurosa le ofrece. La pícara no puede ser simplemente pícara sin estar dotada de una belleza fatal para los que la admiran y caen víctimas de ella.

Asimismo, la verdadera pícara debe tener un grado elevado de inteligencia que se relaciona proporcionalmente al grado de movilidad que ella tiene en los diferentes ambientes sociales donde se encuentra. Sin duda alguna, su capacidad de ejecutar fácilmente y con éxito burlas y estafas a todos los que desean entablar relaciones con ella y de hacer de la humanidad su propia víctima, depende también del diabólico conocimiento que ella adquiere constantemente de la naturaleza humana.

La fuerza motriz de la pícara proviene de un sentimiento excesivo de libertad y conjuntamente de rebelión. Las estafas y los crímenes que ella comete implican la falta de respeto o la negación de los valores establecidos. La pícara vive en una constante transgresión de las normas aceptadas y dicha transgresión es la manifestación de una aspiración continua hacia una libertad absoluta: un existencialismo apicarado.

Al mismo tiempo, la sociedad le brinda un ideal de sí misma que la pícara seiscentista quiere realizar. Al interior de esta sociedad, que a causa de su propia estructura la ha colocado en un plano inferior y humillante, la pícara hace obra de destrucción moral para imponerse y dominar esta sociedad cuyos valores ella niega consistentemente, pero que al final acepta.

Es fácil notar que, en la evolución de la pícara y de su vida, su idealismo es paralelo al nivel económico y social que ella ha conquistado, y que existe precisamente un proceso ascendiente de refinamiento de valores y casi de purificación; nos referimos, sobre todo, a la disminución y a la aceptación de los valores sociales que ya hemos observado en este análisis.

Digamos, por último, que la venida de la mujer como protagonista del género picaresco demuestra una revaluación de la figura femenina y de sus relaciones con la sociedad del siglo XVII, se inaugura también, oficialmente, un nuevo tipo de literatura feminista y, a la vez, antimasculinista: la picaresca femenina.

V. BIBLIOGRAFIA

ALVAREZ, Guzmán : «El amor en la novela picaresca española», *Publicaciones del Instituto de Estudios Hispánicos, Portugueses e Iberoamericanos de la Universidad de Utrecht,* El Haya, 1958.

———: *Le thème de la femme dans la picaresque espagnole,* Groningen-Djabarta, 1955.

BAGBY, Albert Ian, Jr.: «La primera novela picaresca española», *La Torre,* número 68, 1970.

BLANCO AGUINAGA, Carlos: «Cervantes y la picaresca: Notas sobre dos tipos de realismo», *Nueva Revista de Filología Hispánica,* XI, 1957.

BONILLA Y SAN MARTÍN, Adolfo: «Antecedentes del tipo celestinesco en la literatura latina», *Revue Hispanique,* XI, 1906.

CAMUS, Albert: *Le mythe de Sisyphe,* París, 1942.

CASTILLO SOLÓRZANO, Alonso: «Aventuras del bachiller Trapaza», «La garduña de Sevilla», «La niña de los embustes», aparecen en *La novela picaresca española,* del autor Angel Valbuena y Prat, Madrid, 1966.

———: *Las harpías en Madrid,* edición de Emilio Catarelo y Mori, Madrid, 1907.

DELICADO, Francisco: *Retrato de la loçana andaluza,* Madrid, 1975.

DUNN, Peter N.: *Castillo Solórzano and the Decline of the Spanish Novel,* Oxford, 1952.

———: «El individuo y la sociedad en la *Vida y el Buscón», Bulletin Hispanique,* LII, 1950.

GUILLÉN, Claudio: «La disposición temporal del *Lazarillo de Tormes», Hispanic Review,* XXV, 1957.

HAAN, Fonger de: *An Outline of the History of the Novela Picaresca in Spain,* La Haya, 1903.

HANRAHAN, Thomas: *La mujer en la picaresca española,* Madrid, 1967.

HERNÁNDEZ ORTIZ, José A.: *La génesis artística de la Lozana andaluza,* Madrid: Ricardo Aguilera, 1974.

KILGORE HILLARD, Ernest H.: *Spanish Imitations of the Celestina,* University Microfilms, Ann Arbor, 1957.

LA GRONE, Gregory G.: «Salas Barbadillo and the Celestina», *Hispanic Review,* IX, 1941.

LÓPEZ DE UBEDA, Francisco: «La pícara Justina», aparece en la antología *La novela picaresca española,* del autor Angel Valbuena y Prat, Madrid, 1966.

MACHIAVELLI, Niccolo: *Il Principe,* Torino, 1934.
MOMIGLIANO, Attilio: *Antologia della Letteratura Italiana,* Milano, 1958.
NASSI, Giulio: *Letteratura Italiana del Medioevo,* Firenze, 1955.
PRAAG, J. A. van: «La pícara en la literatura española», *Spanish Review,* 1936.
RICAPITO, Joseph Virgil: *Toward a Definition of the Picaresque: A Study of the Evolution of the Genre Together with a Critical and Annotated Bibliography of La vida de Lazarillo de Alfarache, and Vida del Buscón,* University Microfilms, Ann Arbor, 1967.
ROJAS, Fernando de: *La Celestina,* Espasa-Calpe, Madrid, 1966.
RUGGERIO, Michael J.: «The Evolution of the Go-Between in the Spanish Literature through the Sixteen Century», *University of California Publications in Modern Philology,* Berkeley and Los Angeles, 1966.
RUIZ, *Juan* (Arcipreste de Hita): *Libro de buen amor,* Espasa-Calpe, Madrid, 1967.
SALAS BARBADILLO, Alonso J. de: «El coche mendigón», edición anotada por Edwin B. Place en *The University of Colorado Studies,* 1927.
———: «El escarmiento del viejo verde», «La niña de los embustes», «La dama del perro muerto» y «La sabia Flora Malsabidilla», aparecen en *Corrección de vicios,* Madrid, 1907.
———: «La hija de Celestina», aparece en *La novela picaresca española,* antología de Angel Valbuena y Prat, Madrid, 1966.
VALBUENA Y PRAT' Angel: *La novela picaresca española,* Madrid, 1966.

EDITORIAL PLAYOR, S. A.

Colección Nova Scholar

OBRAS PUBLICADAS

Pío Baroja en sus memorias, Teresa Guerra de Glos.
La poesía pura en Cuba, Marta Linares Pérez.
La estética de Octavio Paz, Luisa M. Perdigó.
León de Greiff: una poética de vanguardia, Orlando Rodríguez Sardiñas.
El grupo de Guayaquil: Arte y técnica de sus novelas sociales, Karl H. Heise.
Teatro hispanoamericano de crítica social, Pedro Bravo-Elizondo.
El teatro de Jacinto Grau, Miguel Navascués.
Unamuno: el personaje en busca de sí mismo, Rosendo Díaz-Peterson.
La novela de Hernández Catá, Gastón Fernández de la Torriente.
Filosofía y literatura: aproximaciones, Humberto Piñera.
El desarrollo estético de la novela de Unamuno, Ricardo Díez.
Los cuentos de Juan Rulfo, Donald K. Gordon.
Antología de Albas, Alboradas y poemas afines en la Península Ibérica hasta 1625, Dionisia Empaytaz.
Ecos del viento, silencios del mar: La novelística de Ignacio Aldecoa, Charles R. Carlisle.
La huella española en la obra de Borges, Raymond H. Doyle.
Cinco aproximaciones a la narrativa hispanoamericana: S. Sarduy, A. Carpentier, J. Rulfo, M. L. Bombal y Eliseo Diego, Varios autores.
Realismo mágico en la narrativa de Aguilera-Malta, Antonio Fama.
No se termina nunca de nacer: la poesía de Nicanor Parra, Marlene Gottlieb.
La narrativa de Labrador Ruiz, Rita Molinero.
El arte narrativo de Max Aub, Francisco A. Longoria.
Larra: lengua y estilo, Luis Lorenzo-Rivero.

Valle-Inclán: su ambigüedad modernista, María Esther Pérez.
Tres poetas hispanoamericanos (J. Torres Bodet, Dulce María Loynaz, José Martí), Alicia G. R. Aldaya.
La narrativa de la revolución cubana, Seymour Menton.
La narrativa de Hilda Perera, Alicia G. R. Aldaya.
Romances basados en La Araucana, Patricio Lerzundi.
Fernando Alegría: Vida y obra, René Ruiz.
La poesía de Gabriel Celaya: La metamorfosis del hombre, Zelda I. Brooks.
La infancia en la narrativa española de posguerra: 1939-1978, Eduardo Godoy.
El anarquismo en las obras de Ramón J. Sender, M. Nonoyama.
El cuento venezolano: 1950-1970. Estudio temático y estilístico, Elías A. Ramos.
Alejo Carpentier: Estudios sobre su narrativa, Esther P. Mocega-González.
Retrato de la pícara: la protagonista de la picaresca española del siglo XVII, Pablo Ronquillo.

EN PREPARACION

La narrativa de María Luisa Bombal: Una visión de la existencia femenina, Lucía Guerra-Cunningham.